D0294845

afgeschreven

V3&K Onthoud die naam!

Bies van Ede
met tekeningen van Juliette de Wit

Kijk op www.zwijsen.nl/boj voor het laatste nieuws over de serie B.O.J.

Met dank aan Yaniek en de andere jongens van het jongenspanel

ISBN 978.90.487.1757.6

NUR 283

© Uitgeverij Zwijsen B.V., Tilburg, 2014

Tekst: Bies van Ede

Illustraties: Juliette de Wit

Foto Yaniek: Studio Zwijsen

Vormgeving: Natascha Frensch

Opmaak: Rob Galema

Voor België:

Uitgeverij Zwijsen.be, Antwerpen

D/2014/1919/159

Behoudens de in of krachtens de Auteurswet van 1912 gestelde uitzonderingen mag niets uit deze uitgave worden verveelvoudigd, opgeslagen in een geautomatiseerd gegevensbestand, of openbaar gemaakt, in enige vorm of op enige wijze, hetzij elektronisch, mechanisch, door fotokopieën, opnamen of enige andere manier, zonder voorafgaande schriftelijke toestemming van de uitgever. Voor zover het maken van reprografische verveelvoudigingen uit deze uitgave is toegestaan op grond van artikel 16 h Auteurswet 1912 dient men de daarvoor wettelijk verschuldigde vergoedingen te voldoen aan de Stichting Reprorecht (Postbus 3060, 2130 KB Hoofddorp, www.reprorecht.nl). Voor het overnemen van gedeelte(n) uit deze uitgave in bloemlezingen, readers en andere compilatiewerken (artikel 16 Auteurswet 1912) kan men zich wenden tot de Stichting PRO (Stichting Publicatie- en Reproductierechten Organisatie, Postbus 3060, 2130 KB Hoofddorp, www.cedar.nl/pro).

INHOUD

Vibo

Vibo speelt gitaar (slaggitaar en solo) in
V3&K. Victor van Boven is een kei op de
computer. Hij kan websites bouwen.
De band repeteert in het huisje in zijn
achtertuin, dus is híj de leider van de band.
Vibo vindt Kris erg leuk, maar dat kan hij
natuurlijk niet laten merken.

Vio

Victor van Onderen is de bassist van de band.
Hij is een beetje de stille van de drie. Dat
schijnt zo te horen als je bassist bent. Wat
óók bij bassisten hoort: ze zijn betrouwbaar
en leveren een stevige basis. En dáár is bij
Vio niks mis mee. Vio droomt van een
echt goede basgitaar. Waarom zijn
die dingen zo duur?

Krista

Krista (met een K, ja, en zeg maar Kris) is geen katje om zonder handschoenen aan te pakken. Als ze geen meisje was, zou je denken dat ze een van de jongens was. Kris is de K in V3&K. Ze is niet alleen stoer, ze kan ook nog goed zingen en kent zowat alle liedjes van de wereld uit haar hoofd. En dan heeft ze ook nog eens een heel bijzondere overgrootvader: opa Aad die alle sloten ter wereld kan openen ...

Via

Via (Victor van Achteren) is de drummer. Voor een stevig potje raggen kun je bij hem terecht. Via's gedachten zijn onnavolgbaar. Meestal slaan ze nergens op en kraamt hij volledige onzin uit. Maar heel af en toe heeft hij een briljante ingeving. Waarschijnlijk omdat hij dan even níét nadenkt.

1. VIA

Als je drumt in een bandje, moet je vier verschillende dingen tegelijk kunnen. Allebei je handen doen heel wat anders dan je voeten en je linkervoet doet weer wat anders dan je rechter. Victor van Achteren, de drummer van V3&K (onthoud die naam, want dat bandje gaat het helemaal maken), oefent op zijn kamer. De vloer en de rand van zijn bureautje doen dienst als drumstel.

Ke-bonke-klap, boem-boem-de boem. Roffel roffel, boem-boem-de boem.

Beneden worden ze er helemaal gestoord van.

'Victor!' brult zijn moeder van onder aan de trap. 'Kun je als-je-blieft ophouden?'

Via loopt naar zijn kamerdeur en brult om het hoekje: 'Ik heb een elektronisch drumstel nodig! Dan kan ik oefenen met een koptelefoon op; hoort niemand me meer!'

'Ik zal even kijken of de geldboom achter in de tuin alweer in bloei staat!' roept zijn moeder terug.

Via had dit antwoord wel verwacht. Toch vindt hij het gek dat zijn ouders liever klagen dan vijf tientjes uitgeven voor een oefendrumstel. Als het gaat om een bergbeklimmersuitrusting, is zijn vader niet zo gierig. Vorige maand heeft hij voor hen allebei nog een Rab Latok-jack gekocht. Voor dat bedrag kon je een compleet drumstel kopen. Maar ... met een drumstel kun je geen bergen beklimmen, denkt Via. En met een jack kun je ... nou ja. Soms kan hij zelf ook geen touw vastknopen aan zijn gedachten. Hij weet dat de andere leden van V3&K, de twee Victors en Kris, hem soms voor dom verslijten. Maar

dat hebben ze erg mis. Zijn gedachten gaan gewoon te snel.
Hij is ze alweer kwijt voordat hij ze gedacht heeft. En soms
denkt hij gewoon via een omweg.
En niet **via een domweg,** denkt hij.

Hij doet de deur van zijn kamer weer dicht. Hij moet maar
even niet meer drummen. Misschien kan hij dadelijk nog
naar Vibo lopen, die schuin aan de overkant woont. Vibo's
huis heeft een enorm grote tuin. Daar staat een tuinhuisje
waar V3&K repeteert. Ze kunnen er bijna zo veel herrie
maken als ze willen. Bíjna, want Vibo's boze buurman
inspecteur Brandsen wil nog weleens klagen over herrie.
Via zet Skype aan. Als Vibo online is, kunnen ze voor straks
afspreken.
Vibo is er. Hij begint meteen te tikken als Via zich heeft
aangemeld.
Vibo: Heb je het gehoord?
Via: Wat dan?
Vibo: Van **Jay Dean!**
Via: Wat is er met JD?
Vibo: Extra ingelast soloconcert in de HMH, de Holland
Muziekhal! Daar moeten we heen. Sparen voor kaartjes!
Via: Kosten die?
Vibo: Vijftig euro.
Via: Hallo!
Voor dat geld kan hij een oefen-drumapparaat kopen. En
als hij nu naar beneden gaat en zijn vader iets om geld
voor kaartjes vraagt, weet hij het antwoord al: iets met
een geldboom in de tuin, die er niet is. De tuin wel, de
geldboom niet.

Maar ja ... Een optreden van Jay Dean mogen ze niet missen. Jay Dean is zowat de hotste ster van Nederland. *Geweldige* **rocker**, wereldgitarist, hit-schrijver ... Jay Dean is in zijn ééntje wat V3&K met z'n vieren wil worden. Hoe komen ze aan geld?

Via: Ik kom wel ff naar je toe.

Vibo: Dan probeer ik Vio en Kris. Tot zo.

Via: CU!

2. GELDPROBLEEM

Ze zitten met z'n vieren in het tuinhuis bij Vibo achter.
Buurman Brandsen kan tevreden zijn, want ze hebben het te
druk met andere dingen om aan spelen te denken.
Zelfs Via, die op het krukje achter zijn drumkit zit, heeft geen
stokjes in zijn hand om nerveus mee te roffelen.
'En dat zijn dus de goedkóópste kaartjes,' zegt Vibo. 'Voor
een beetje een goede plek ben je *vijfenzeventig* eu*ro*
kwijt. Weet je wel hoeveel dat is?'
'Ja, precies vijfenzeventig euro,' zegt Via behulpzaam. Als de
anderen in koor zuchten, kijkt hij hen verbaasd aan. 'Dat is
toch zo?'
'Jahaa,' zegt Kris. 'En het is ook zeven en een halve maand
zakgeld.'
'Voor mij vijf maanden,' zegt Vibo.
Vreemd, denkt Via. Zijn Vibo's maanden langer dan die van
Kris? Hij vraagt er maar niet naar.
Het probleem grijnst hen levensgroot aan: **hoe komen ze
aan geld?** Vio zegt niets. Hij wroet in zijn haar en denkt
na. Bassisten zeggen bijna nooit iets.
'Heitje voor een karweitje?' stelt hij dan voor. 'De huizen
langs en klusjes doen voor geld?'
Vibo schudt zijn hoofd. 'We hebben minstens tweehonderd
euro nodig en dan moeten we ook nog naar dat
concertgebouw toe. We moeten in één klap een hele bom
geld zien te krijgen.'
'Moet het per se op een *eerlijke* **manier?**' vraagt
Via. 'We kunnen ook iets met **internetfraude** doen,
of een overval plegen.'

'En dan Brandsen achter ons aan krijgen, zeker?' zegt Kris. Ze schudt beslist haar hoofd.

Via zucht teleurgesteld, maar zijn gedachten zijn op gang gekomen. 'We geven een benefietoptreden! En het goede doel zijn wij zelf!' Hij grijnst slim. 'We noemen het goede doel **Helios ...**'

Helios is de lijfspreuk van **V3&K**, het is de afkorting van *Herrie En Lawaai Is Ons Streven.*

'Weet je wat het kost om een zaal te huren en een goede geluidsinstallatie? Voor dat geld kunnen we met gemak naar Jay Dean.'

'Ha!' roept Via triomfantelijk. 'Dan geven we géén concert en kopen we kaartjes voor het geld dat we zo uitsparen!' Iedereen zucht.

'Wat nou?' zegt Via niet-begrijpend.

'De sleutels van opa Aad,' stelt Kris voor. 'We nemen zijn sleutelbos met de loper en glippen door een zijingang de concertzaal in.'

'Lukt nooit,' zegt Vibo. 'Er staan natuurlijk overal bewakers.' Als leider van de band is Vibo vaak de verstandigste. Ook nu. Al kun je met de **SLEUTELBOS VAN OPA AAD** alle sloten ter wereld open krijgen, dat is vrij zinloos als je direct door beveiligers in je kraag gevat wordt.

'Lenen van onze ouders,' zegt Vio. Het klinkt alsof hij er goed over heeft nagedacht. 'Ze snappen vast dat wij als muzikanten dat optreden niet mogen missen.'

Vibo en Kris knikken. Het is geen woeste of spannende oplossing; het is misschien wél de béste.

Maar Via is nog niet klaar met zijn wilde plannen. 'We verstoppen ons gewoon een dag van tevoren al in de zaal! Of we kunnen via de achterdeur naar binnen glippen als de roadies de geluidsapparatuur naar binnen sjouwen, of ... Hee, we plunderen gewoon onze **spaarrekeningen!** Ik heb 500 euro op een rekening staan. Voor later.'
Vio laat de lage e-snaar van zijn basgitaar knallen. 'Hou nou even je ratel,' zegt hij. En als iemand als Vio zoiets zegt, hou je meteen je mond.
'We vragen onze ouders een voorschot op ons zakgeld en rapport-geld.
Geen *idiote* Via-plannen, gewoon zo simpel mogelijk.'
Via kijkt teleurgesteld. Hij zat net zo lekker te fantaseren.

'Ja,' zegt Kris. 'Dat is misschien het beste.'
'We gebruiken de oude, vertrouwde truc,' zegt Vio.
Vibo en Kris knikken, maar Via kijkt verbaasd.
'Ik ken geen oude, vertrouwde truc.'
De andere drie **zuchten.**
'Wacht maar,' zegt Vibo. 'Je merkt het wel. Eerst gaan we naar mijn moeder.'

Ze lopen het tuinhuisje uit, de tuin door en Vibo's huis in.
Vibo's moeder ligt met haar e-reader op de bank.
Vibo trekt zijn meest enthousiaste gezicht. Dat kost hem geen moeite, want hij ís enthousiast. 'Mam! Jay Dean speelt in de HMH! Daar móéten we heen. Dat mógen we niet

missen! Maar de kaartjes zijn hartstikke duur. Kris en Vio krijgen hun zakgeld en rapportgeld als voorschot. Mag ik dat ook?'

Via heeft de oude, vertrouwde truc opeens door. Hij wil iets zeggen, maar besluit zijn mond te houden.

'Zo …' zegt Vibo's moeder. 'En hoeveel kosten die kaartjes dan?'

'De goedkoopste zijn maar vijftig euro.'

'Wát? De goedkóópste!' roept Vibo's moeder uit. Ze klinkt haast beledigd.

'Het is wél Jay Dean!' zegt Vibo. 'Hij is te gek!'

'Wij betaalden voor Michael Jackson ooit véértig euro! En toen stonden we vooraan!'

'Ja, maar dat is honderd jaar geleden, mam!' zegt Vibo. Hij voelt het plan mislukken.

Vibo's moeder kijkt hen aan. Blijkbaar ziet ze dat kaartjes voor Jay Dean echt héél belangrijk zijn. 'Ik zal het met papa bespreken,' zegt ze.

Bij de anderen thuis gaat het ongeveer net zo. Geen van de ouders roept onmiddellijk: 'Maar natuurlijk! Jullie leven wordt waardeloos als jullie Jay Dean! niet zien optreden. Hier is geld en nog wat extra om eten en drinken te kopen.'

Er wordt bedenkelijk gekeken, alsof ze een *peperdure tablet* vragen, in plaats van de goedkoopste kaartjes die er voor het concert te krijgen zijn. De waterdichte klassieke truc 'als de ene ouder het goedvindt, zal het van de andere ook wel mogen', is hopeloos mislukt.

Moedeloos zitten ze een uurtje later weer in het tuinhuis.

'Dus toch inbreken met de sleutels van opa Aad,' verzucht
Kris.

Vibo plugt zijn gitaar in. 'Kom op, we gaan lekker een stukje
spelen.'

Een paar tellen later ontploft er een geluidsbom. De ramen
van het tuinhuisje rammelen in hun sponningen. Zelfs
twee straten verderop klinkt het alsof een kudde olifanten
ruziemaakt met een blaasorkest.

Je kunt muziek voor een hoop dingen gebruiken:
bijvoorbeeld als boksbal, als je er enorm de pest in hebt dat
je geen geld krijgt om kaartjes voor een concert te kopen.

Helios!

3. OPDRACHT VAN OPA AAD

Na het eten sjokt Via over de stoep. Hij zou naar het tuinhuis kunnen gaan om een paar drumstokjes kapot te slaan. Net als hij Vibo's tuinpad op wil lopen, ziet hij Kris naar buiten komen. Zij is Vibo's buurmeisje.

'Kom je ook *herrie* maken?' vraagt hij.

Kris schudt haar hoofd. 'Ik ga naar opa Aad. Zin om mee te gaan?'

'Welja,' zegt Via.

Opa Aad is tachtig. Hij is de overgrootvader van Kris en hij zit in een rolstoel, omdat hij een nieuwe heup heeft. Het duurt nogal lang voordat hij helemaal genezen is. Dat hij al oud is, merk je verder niet. Opa Aads hersens werken nog prima. Wie weet heeft hij een oplossing voor het kaartjesprobleem.

Via fietst, Kris zit achterop. Het is niet ver naar de Zonnehof, waar opa Aads bejaardenhuisje staat.

Opa Aad zit voor zijn huisje te kletsen met zijn vriend agent Piet, die zijn poedel uitlaat.

Hij grijnst als hij Kris en Via ziet. 'Gezellig. Waar is de rest van de band?'

Kris geeft geen antwoord op de vraag. Ze valt met de deur in huis: 'We willen zo graag naar het concert van een vet gave zanger, maar we hebben *geen* **geld**.'

'En onze vaders en moeders geven het ons niet,' zegt Via.

'Als het te lang duurt, zijn de goed*kope* **kaart**jes

19

natuurlijk al weg. En dan kunnen we er helemááal niet heen.'
Opa Aad wrijft over zijn kin. 'Hoeveel geld hebben jullie
nodig?'
'Een kaartje kost vijftig euro.'
Agent Piet fluit. 'En jullie willen er natuurlijk vier. Da's een
hoop geld.'
'Wat willen jullie ervoor doen?' vraagt opa Aad.
'ALLES,' antwoordt Kris onmiddellijk.
'Haal jullie vrienden er even bij,' zegt opa Aad. 'Dan houden
we een vergadering.'
'Ik fiets wel!' zegt Via.
'Een sms'je gaat veel sneller,' zegt Kris en ze grabbelt naar
haar telefoon.

Ze heeft gelijk: tien minuten later zijn de andere twee V's
ook bij de Zonnehof. Agent Piet is er dan alweer vandoor. De
poedel moest nodig ...
'Luister,' zegt opa Aad. 'Ik vind dat ik jullie een bedankje
schuldig ben voor wat jullie de laatste tijd allemaal gedaan
hebben. Nou is tweehonderd euro een hoop geld, dus wil ik
graag dat jullie nog iets voor me doen.'
'Ha! Dus toch een heitje voor een karweitje,' zegt Via
triomfantelijk.
De anderen negeren hem.
'Wat moeten we doen?' vraagt Kris.
'Jullie ogen openhouden,' zegt opa Aad. 'Een beetje eh ... op
de uitkijk staan.'
Via's ogen beginnen te glinsteren. 'Detectivewerk? Zal ik me
verkleden? Ik weet nog wel een *goede* vermomming. Een
pruik en een valse baard ...'

20

Kris onderbreekt hem. 'En dan zie je er heel onopvallend uit als een van de zeven dwergen uit Sneeuwwitje.'

Via kijkt haar verbaasd aan. 'Goed idee! *Goed* **plan!**'

De rest zucht.

'Wat moeten we in de gaten houden?' vraagt Vibo.

'Er wordt de laatste tijd nogal eens een vreemd type gezien op het bedrijventerreintje,' zegt opa Aad. 'Het zou een insluiper kunnen zijn, of iemand die een inbraak voorbereidt.'

'Hier bij ons in Noord?' vraagt Via. Ze kennen het bedrijventerrein wel. Het ligt aan de rivier. Er staan een paar loodsen, een schroothandelaar heeft er een opslagplaats en er is een garage. Hun vriend *Dobry*, de Poolse klusser, heeft er een werkplaats.

Opa Aad knikt. 'Als jullie nou na school eens een beetje rondkijken …'

'Na school repeteren we altijd,' zegt Vibo.

'En zo'n inbreker komt toch niet op klaarlichte dag?' zegt Vio.

Opa Aad glimlacht geheimzinnig. 'Misschien juist wel … Om vier uur gaan de meeste bedrijven er dicht. De bewaking komt pas vanaf zeven uur. Tussen vier en zeven is er dus niemand. Je kunt onopvallend overal naar binnen, vooral als je de sleutel hebt. Kinderen die een beetje op hun fiets *rondcrossen* tussen de loodsen, kunnen hun ogen goed de kost geven.'

Kris en de drie V's stralen. Dat is een héél eenvoudige manier om geld te verdienen.

'We kunnen altijd na het eten nog repeteren,' zegt Vibo. 'We doen het. Ja toch?'

De anderen knikken enthousiast.

'Maar,' zegt Kris, 'we moeten wel vooruit betaald worden. Als we te lang wachten met kaartjes kopen, zijn ze weg.'

Via ziet dat Vibo haar bewonderend aankijkt. Hij vindt het ook **stoer** van **Kris** dat ze dit zomaar durft te eisen, maar Vibo smelt zo'n beetje. Hij is verliefd op d'r, denkt Via. Helemaal stapel! Onthouden, denkt hij, daar kan ik hem nog eens lekker mee plagen.

Opa Aad heeft zijn rolstoel gekeerd. 'Kom, we gaan die kaartjes meteen bestellen. Dat kan online, neem ik aan?'

'Dat kan zelfs alleen maar online,' antwoordt Kris.

Binnen, in opa's kleine woonkamer, gaat de laptop aan. Ze surfen naar de site van de **Holland** Muziekhal. Wat V3 en K al dachten klopt: de goedkope kaartjes gaan razendsnel.

Gelukkig is het bestellen in een wip gebeurd.

Als Kris en de drie V's even later naar huis rijden, grijnzen ze alle vier van oor tot oor.

Het dringt langzaam goed tot hen door. Ze hebben kaartjes! *Ze gaan naar* Jay Dean! Ze hoeven niet meer

bij hun ouders te zeuren, ze gáán gewoon!

Via zit achterop bij Kris. Hij botst met zijn neus tegen haar rug als ze opeens op de remmen gaat staan, en duikelt bijna van de bagagedrager af.

'Wat doe je nou!' roept hij geschrokken.

'Ik remde,' zegt Kris lief. 'Want als we de andere kant op gaan, kunnen we nog even op het bedrijventerrein kijken.'

'Daar is nu toch niks te zien?' zegt Vibo. 'Het is al bijna acht uur. Ik moet zo thuis zijn.'

'*Watje,*' zegt Kris. En dat is alles wat ze hoeft te zeggen.

Vibo wil geen watje genoemd worden en zéker niet door Kris. Dus rijden ze een paar minuten later het bedrijventerrein op. Ze zijn hier wel vaker geweest. Wat opa Aad zei, klopt: er werkt 's avonds niemand. De loodsen zijn afgesloten en de parkeerplaatsen zijn leeg.

De drie V's blijven bij de ingang van het terrein staan. Het is een beetje **spook**achtig hier, alsof het er eerder donker is dan in de rest van de wereld. Alsof er achter ieder gebouw iets akeligs op hen wacht.

'Kom op,' zegt Kris. 'Stelletje helden!'

Ze heeft hen door en dat kunnen de jongens niet op zich laten zitten. Ze rijden het terrein op. Eerst langzaam en aarzelend, daarna steeds zelfverzekerder.

Tot ze een **schim** zien *wegduiken* achter een witgeverfd gebouw met een dak van golfplaten.

'Zagen jullie dat?' zegt Kris.

De drie V's knikken. Ja, ze zagen het.

Maar wat ze precies zagen, weten ze niet.

4. VIER KEER VERBAZING

'Ja, stop maar!' roept Vibo.

De herrie in het tuinhuisje verstomt.

'Wat zijn we aan het doen, gasten? Buurman Brandsen aan
het pesten, of zo? Jullie klinken als een stel jammerende
katten!'

V3&K repeteert in het tuinhuisje, maar niemand heeft
zijn hoofd erbij. Kris vergeet haar teksten, Via slaat naast
de maat en Vio's bas klinkt alsof hij in geen honderd jaar
gestemd is.

'Moet jij zeggen,' zegt Kris. 'Wat jij op die gitaar doet, slaat
nergens op.'

'Jouw opa, hè?' zegt Vio, 'die is toch alleen maar de
sleutelkoning?'

'Hij is mijn óvergrootvader,' zegt Kris trots. 'En de beste
slotenmaker van de stad.'

Vio krabt in zijn haar. 'Sleutel Aad wordt hij toch genoemd?'

'Nou en?'

'Je opa is al hartstikke oud en met zijn rolstoel komt hij
niet ver. Hoe kan hij het nou weten van die insluiper op het
bedrijventerrein, en wat kan het hem schelen?'

'Wat kan jou dat nou schelen. We hebben die kaartjes toch?'
zegt Via. Hij denkt ook aan het bedrijventerrein, maar
dan voornamelijk aan de schim die wegrende. Er was iets
vreemds aan die man. Zou het een vreemdeling zijn?

Een vreemdeling zeker, die verdwaald is zeker,
denkt hij. En dan zit hij met zijn gedachten bij Sinterklaas en

vergeet waarom hij aan Zwarte Piet moest denken toen hij de vreemdeling zag wegrennen.

Hij geeft een tik op de rand van zijn snare-drum.

'Een sleutelmaker kan overal binnen,' zegt hij tegen Vio. 'Hij is dus *een* per*fecte* in*brek*er ...'

'Wil jij zeggen dat mijn opa spullen laat jatten uit loodsen?' roept Kris.

'Nee, natuurlijk niet!' zegt Vio haastig. 'Maar de map met krantenstukjes over allerlei misdaden die hij in zijn la heeft liggen ... Waarom heeft hij die?'

'Je moet boeven met boeven vangen,' zegt Vibo. 'Dat is een spreekwoord.'

Bij Kris komt intussen de stoom bijna uit haar oren. 'En agent Piet? Dat is zeker ook een boef? En zijn poedel ook?'

'Rustig nou,' zegt Vibo, die voelt dat het gesprek de verkeerde kant op gaat. Als hij íéts niet wil, is het ruzie met Kris. Hij vindt haar veel te leuk ... en waarschijnlijk is ze ook knap sterk.

'Als Piet een agent is, is Kris' opa misschien wel een geh*eim* agent,' zegt Via. 'Dat weten we niet, want anders is het niet meer geheim. Maar ik dénk het wel.'

Kris kijkt hem even stomverbaasd aan. Dan is haar woede verdwenen en lacht ze. '**D**at is **war**taal!'

'Kan ik niks aan doen,' zegt Via. Wat hij wilde zeggen was daarnet nog een hele gedachte, maar toen hij begon te praten, viel alles in losse stukjes uit elkaar. Waarom de anderen altijd zuchten of om hem lachen, snapt hij nooit zo goed. Hij doet het niet expres of zo ...

Uit boosheid geeft hij een roffel. Vio en Vibo zetten in en het

volgende moment spelen ze een oud rocknummer. Kris kan niet anders dan beginnen te zingen.

Als **V3&K** speelt, verdwijnt ruzie als sneeuw voor de zon.

Ha, denkt Via, dat heb ik toch maar *mooi* slim opgelost!

Na een halfuurtje lekker spelen, denken ze niet meer aan de raadsels rond opa Aad. Ook de geheimzinnige sluiper is eventjes vergeten. Het is veel leuker om na te denken over het optreden van Jay Dean.

Het is Vio die de voorpret bijna verpest. Voor de stille van de band praat hij ditmaal net iets te veel. 'Hoe vertellen we het **onze ouders?**'

'Wat nou!' zegt Via. 'Is dat moeilijk? We zeggen dat we kaartjes hebben gekregen als beloning voor onze goede daden.'

'Ik weet niet of ze het goed zullen vinden,' zegt Vibo nadenkend.

'De mijne wel,' zegt Kris. 'Want opa Aad is de vader van mijn opa en de opa van mijn vader. Dus dan is het altijd goed.'

'Ik weet niet of mijn ouders het vertrouwen,' zegt Vibo.

'Jongen!' zegt Kris. '*Ze zijn vast blij*. Ze hoeven ons nu alleen maar te brengen. Da's veel goedkoper.' Ze legt haar microfoon neer. 'Kom op, we gaan even bij al onze ouders langs om het te vertellen.'

'Onzin,' zegt Vio, maar de anderen zijn het met Kris eens. Ze vinden het wel prettig als ze ook echt naar Jay Dean mógen.

Ze vallen vier keer van de ene in de andere verbazing. Hoewel, het is dezelfde verbazing, maar dan *vier keer*.

Hun ouders weten het al, van de kaartjes. Opa Aad heeft ze

gebeld.

'Papa kan jullie brengen,' biedt Vibo's moeder aan.

'Mama haalt jullie op,' zegt Via's vader.

En Vio's moeder vraagt: 'Durven jullie zonder een volwassene erbij naar dat concert?'

Natuurlijk durven ze dat.

Kris' vader, ten slotte, zegt: 'Van ons krijgen jullie geld voor eten en drinken.'

Diep tevreden met hun ouders zitten ze uiteindelijk weer in het tuinhuisje.

Nu hoeven ze alleen nog maar te wachten tot het zover is.

En dat duurt lang ...

Ze repeteren de dagen erna alleen nog Jay Dean-liedjes. Het lukt Vibo zelfs om een solo van Jay Dean min of meer na te spelen. Echt min of meer. Je moet het weten, om het te horen.

Na school gaan ze braaf naar het bedrijventerrein.

Daar valt niets te beleven, niet eens iets saais.

Het zou ook wel héél toevallig zijn als ze bij hun bezoekjes nog eens een insluiper tegen het lijf zouden lopen. De eerste keer was al een zeldzaam toeval.

Maar beloofd is beloofd ... Als ze de kaartjes zo makkelijk kunnen verdienen, vinden ze het best.

Via moet iedere keer weer aan sinterklaasliedjes denken en hij weet nog steeds niet waarom. De man die ze hebben zien weglopen deed hem gewoon denken aan een Zwarte Piet. Dat zal het zijn.

Als hij op een avond thuiszit, schiet het hem zomaar

te binnen. Hij weet het opeens, alsof iemand het hem influistert. Het was het haar van die man! Dat zag eruit alsof hij een **_zwartepietenpruik_** droeg!

Maar wat moet hij daar nou weer van maken? Waarom zou iemand een Zwarte Pietenpruik dragen terwijl het bijna zomervakantie is?

Ik vergis me, besluit hij. De anderen hebben gelijk: mijn gedachten slaan nergens op.

Maar *toch* ...

5. WAAR IS JAY DEAN?

De **Holland** Muziekhal is groot. Heel groot. En erg vol. V3 en K staan midden in de vierkante zaal. De muren zijn helemaal zwart. Aan het plafond hangen **enorme** *schijn*werpers die schilderijen van licht op de muren maken. Voor hen is het podium, aan de zijkant van de zaal staat een bar. Het podium is nog leeg. De meeste mensen blijven achter in de zaal hangen. Bij de bar is het nu stampvol. Straks, als het concert begint, zal iedereen wel naar voren komen, zo dicht mogelijk bij het podium.

Zullen V3 en K nu al naar het dranghek gaan dat dwars voor het podium staat om het publiek op een afstandje te houden? Niemand doet het en ze willen niet de eersten zijn.

De drie V's kijken elkaar besluiteloos aan. Nu kan het nog, straks zijn ze misschien te laat.

Het is Kris die de knoop doorhakt. 'Kom op! Straks zien we alleen maar ruggen!'

Ze loopt naar het dranghek en legt haar armen erop. Dat lukt maar net. Ze moet haar hoofd in haar nek leggen om het podium te kunnen zien.

Er lopen een paar mannen over het podium. Ze controleren kabels en knoppen. Omdat de grote schijnwerpers boven het podium nog niet branden, zijn de mannen donkere gedaanten. Loopt Jay Dean erbij?

Via knijpt met zijn ogen. Staat er iemand in de schaduw achter de **enorme** *boxen* van de geluidsinstallatie? Later willen wij ook dranghekken voor het podium, denkt hij,

30

maar nu wou ik dat ik eroverheen kon klimmen.

Hij schat de hoogte van het hek en het podium erachter. Via is een goede bergbeklimmer. Hij zou over het dranghek heen zijn voordat iemand hem kon tegenhouden. Drie snelle stappen, een sprong, even ophijsen aan de rand en hij zou op het podium staan. En dan? Hij kijkt naar het drumstel op het podium. Een **enorme** drumsolo geven, dát is wat hij zou doen. Ontdekt worden als de jongste beste drummer van het land. Gevraagd worden in de begeleidingsband van Jay Dean ... Morgen spelen in de ArenA met dertigduizend gillende fans ... Overmorgen Amerika ...

Via maakt zich in gedachten op voor de sprong over het dranghek, als er achter hem rumoer ontstaat. De mensen komen naar voren gelopen. Het is zo ver: de show gaat beginnen!

Via is zijn klimplannen op slag vergeten.

Op het podium gaan twee schijnwerpers aan. Met trage bewegingen laten ze hun lichtbanen over de apparatuur glijden. Een derde schijnwerper glijdt over het publiek. V3 en K kijken elkaar opgewonden aan. Dadelijk staat Jay Dean in levende lijve op een paar meter afstand van hen! Maar hoe de schijnwerpers ook glijden en hoe het publiek ook met ingehouden adem wacht, op het podium gebeurt niets. De menigte wordt onrustig. Er klinkt geschuifel. Ergens achterin beginnen mensen te applaudisseren als aanmoediging. *Er wordt gefloten*. Iemand roept: 'Jay Dean, Jay Dean!' De zaal neemt het over en al na een paar tellen dendert het tussen de muren en weerkaatst het van het plafond: 'Jay Dean!' Er wordt op het ritme geklapt en

gestampt.

Op het podium gebeurt niets.

Heeft Jay Dean nog meer applaus en aanmoediging nodig?
Komt hij pas op als de hele zaal uitzinnig is?

Via kijkt de anderen aan. 'Dit moeten wij ook doen!' brult hij.
Kris en de andere Victors verstaan hem niet. De zaal trilt van
het gestamp, geklap en geroep.

Na een poosje wordt de zaal ongeduldig. Het lawaai krijgt
een bozige klank.

V3 en K kijken elkaar aan. Waarom komt Jay Dean niet
op? Hij moet in de kleedkamer of achter het podium toch
duidelijk horen dat het publiek zijn geduld verliest.

Kris stoot Via aan. Ze wijst naar de zijkant van het podium.
In de schaduw staan twee mannen met elkaar te praten. Wat
ze zeggen is niet te verstaan, maar hun gebaren vertellen
genoeg. Ze zijn zwaar met elkaar in discussie.

'Kom mee!' brult Kris in Via's oor. Ze wenkt de anderen, die
haar met verbaasde gezichten volgen. Het wordt een spelletje
kruip-door-sluip-door tussen benen. Kris gaat voorop en
wijst de weg.

Het duurt langer dan ze dachten voordat ze bij de wand van
de zaal staan. De meeste mensen kijken over hen heen of
hebben geen zin om een stap te verzetten. Ook al is er nog
niets te zien, ze houden hun eigen plaatsje bezet.

De twee mannen staan nog steeds heftig gebarend in
het duister naast de boxen. Wat ze zeggen is ook hier
onverstaanbaar.

We hadden net zo goed op onze oude plek kunnen blijven
staan, denkt Via. Wat is Kris van plan?

Het antwoord komt een tel later. Wat Via in gedachten deed, doet Kris in het echt. Hondsbrutaal glipt ze tussen de spijlen van het dranghek door.

De drie V's kijken elkaar aan. Moeten zij ook … durven ze wel … is het niet …?

Via kijkt hoe Kris watervlug naar de rand van het podium schiet. Niemand in de zaal let op haar.

Vio roept iets onverstaanbaars.

Kris duikt weg in de schaduw naast het podium. Wat is ze in hemelsnaam van plan? Wil ze door EEN VEILIGHEIDSMAN de zaal uit gezet worden?

Vibo zou het liefst doen of hij Kris niet kent, maar hij is de leider van V3&K, dus hij kan haar niet zomaar laten begaan. Hij wenkt de anderen en glipt ook door het dranghek heen.

Een paar tellen later staat de hele band weggedrukt in een hoekje te hopen dat niemand hen gezien heeft.

Vibo heft zijn handen op en kijkt Kris vragend aan. *'En nu?'*

Kris gebaart dat de jongens hun hoofd bij het hare moeten steken. 'Zagen jullie die vent dan niet?' brult ze.

Vibo schudt verbaasd zijn hoofd. Ook Vio en Via hebben niet gezien wat Kris zag.

'Die man!' brult ze.

Vibo wijst omhoog. 'Welke van de twee?'

'Nee, die derde, die hier om de hoek keek!'

Het gebonk en geschreeuw en gefluit wordt zachter. Gaat er iets gebeuren? Ze kijken omhoog, maar zien niet meer dan de rand van het podium met de grote geluidsboxen.

'Kom op, we gaan terug,' schreeuwt Via. 'Straks grijpen ze

ons en dan zien we niks van het optreden!'

Hij doet een stap richting het dranghek, maar dan ziet hij iets bewegen ... Achter bij het podium, waar de deuren naar de kleedkamers zijn ...

Er staat iemand naar hen te kijken. Hij ziet dat Via naar hem kijkt, schrikt en duikt weg.

Via weet het bijna zeker: het is dezelfde man die hij op het bedrijventerrein heeft gezien. De man met het rare **zwarte krulhaar**. De man die hem aan Zwarte Piet doet denken. Hij wil iets tegen de anderen zeggen, maar hij krijgt de kans niet.

Boven hen piept een microfoon, er ploft iets en dan schalt er een stem door de zaal.

'Beste mensen! We weten dat jullie niet kunnen wachten tot Jay Dean begint, maar we moeten toch even om jullie geduld vragen. Er is namelijk een probleempje ...'

6. WIE IS BULK B?

'Het slaat nergens op! Echt helemaal nergens! We zijn gewoon opgelicht. *Diefstal.*'

Er komt nog net geen stoom uit Via's oren. Hij heeft het verhaal nu al tien keer verteld en iedere keer wordt hij weer even kwaad.

'Ons spaargeld. Waar we ons voor uit de naad hebben gewerkt!'

'Gewerkt? Jullie hebben de kaartjes van mij gekregen,' zegt opa Aad.

'Maakt niet uit! We hebben betaald voor een optreden en er wás geen optreden.'

Opa Aad kijkt naar de krant die voor hem op de eettafel ligt. **POPSTER VERMIST** staat er in grote chocoladeletters.

'We krijgen nieuwe kaartjes,' zegt Kris. 'Voor als Jay Dean weer terecht is. Dan wordt het concert alsnog gegeven.'

Gisteravond geloofden ze hun oren niet, toen ze hoorden dat het optreden werd afgelast omdat niemand wist waar Jay Dean was.

De zaal dacht eerst aan een grap. Daarna klonk er een fluitconcert, werd er 'boe' geroepen en probeerden mensen het podium te bestormen. De dranghekken gingen omver.

V3 en K maakten van de chaos gebruik om weg te komen. Ze vluchtten de zaal uit door een van de nooduitgangen die door bewakers waren opengedaan. Ze dachten er geen seconde aan om te proberen achter het podium terecht te komen. Het was een briljante kans geweest, maar die hebben

ze voorbij laten gaan.

Kris heeft er nu een beetje spijt van. Ze hadden meer over de vermissing te weten kunnen komen.

'En als die Jay Dean nou gewoon nooit meer terugkomt?' zegt Via. 'Als hij er met de poet vandoor is?'

Opa Aad schudt zijn hoofd. 'Dat zou voor het eerst in de geschiedenis van de popmuziek zijn. Het zijn altijd de managers die er met het geld vandoor gaan.'

'O, waarom?' vraagt Via.

'Managers zijn zakenmensen,' zegt opa Aad. 'De meeste artiesten hebben geen verstand van geld. Ze willen alleen maar lekker muziek maken. Daarom huren ze iemand in die optredens regelt en de geldzaken afhandelt. Dat is een manager.'

'Maar dat is toch **stom?**' vraagt Via. 'Als je al weet dat de manager het geld steelt, neem je hem toch niet in dienst?'

De anderen zuchten in koor.

'Ja wát nou!' zegt Via.

'De manager kan het niet gedaan hebben,' zegt Vibo. 'In de krant zegt hij dat hij zich vreselijk zorgen maakt om Jay Dean.'

Opa Aad knikt. 'Dat zou ik ook zeggen. Misschien is het allemaal een stunt.'

Kris kijkt haar overgrootvader vragend aan. 'Hoe bedoelt u?'

Opa Aad knikt naar het kastje dat tegen de muur van de huiskamer staat. 'Geef me mijn map eens.'

Opa Aads map is een vreemde verzameling krantenknipsels. Er zitten alleen maar artikeltjes over misdaden en misdadigers in. Ze hebben de map wel vaker gezien. Opa Aad vindt hem erg belangrijk.

Zou hij ook stukjes over misdadige managers hebben, vraagt Via zich af.

'Lees dat stukje nog eens voor, over de manager van jullie held?'

'Hij is mijn held niet meer,' zegt Via kwaad.

Vio pakt de krant op en laat zijn ogen over de regels gaan.

'Ja, hier: "Manager Bulk Bertram maakt zich enorme zorgen over zijn beschermeling. 'Ik heb hem ontdekt,' zegt hij, 'en hem groot gemaakt. Ik ken hem als mijn eigen kind. Jay weet wat zijn plicht is. Hij zou me nooit in de steek laten.'" Vio kijkt op als hij opa Aad hoort snuiven.

'Ben ik nou gek?' zegt opa Aad. 'Of klinkt dit juist helemaal niet bezorgd?'

'Bezorgd om zichzelf,' zegt Vio.

Opa Aad knikt. 'Juist. Enne ... Bulk **Bertram**, **h**eet *hij*, hè? Bulk B. ...'

Hij slaat zijn map open en rommelt tussen de krantenknipsels. 'Hm, kijk eens!' Hij legt een lange strook krantenpapier op tafel.

V3 en K buigen zich erover en lezen.

MODELLENBUREAU IS OPLICHTERIJ

Vele tientallen jongens en meisjes die hoopten op een grote carrière in de showbusiness zijn bedrogen uitgekomen. Ze betaalden modellenbureau Happy Star honderd euro inschrijfgeld, maar kregen daar niets voor terug.

De kinderen kregen geen rollen in tv-series of modellenwerk voor tijdschriften. Ook platencontracten kwamen er nooit. Het bureau is intussen gesloten. Eigenaar Bulk B. wordt door de politie gezocht.

'Zo hé …' zegt Via. 'Jammer dat dat bureau niet meer bestaat. Anders hadden wij ons daar ook kunnen inschrijven.'

De anderen kijken hem aan alsof hij iets heel stoms zegt.

'Voor een platencontract!' legt hij uit.

'Sjonge,' verzucht Kris. Tegen opa Aad zegt ze: 'Denkt u dat het dezelfde is?'

'Dezelfde als wie?' vraagt Via. Hij heeft het idee dat hij er steeds minder van snapt.

'Het is wel heel toevallig,' zegt Vibo.

Vio knikt en trekt een bosje krullen uit zijn haar strak.

'Als die Bertram nu de zaken voor Jay Dean doet, is dit misschien een plannetje van hem,' zegt hij nadenkend.

Opa Aad knikt. 'We moeten eens *haarfijn* uitzoeken wie die Bertram is en of hij van plan is Jay Dean te bedonderen.'

'Hoe doen we dat?' vraagt Kris. 'Zal ik naar hem toe gaan enne eh … zeggen dat ik voorzitster van de Jay Dean-fanclub ben? Dan kan ik hem allerlei Slimme vragen stellen.'

Via ziet hoe Vibo haar een bewonderende blik toewerpt.

Hij is echt verliefd op d'r, denkt hij. Bah. Ze denken allemaal dat ik nooit iets begrijp, maar dit heb ik toch mooi dóór!

'Ik denk,' zegt opa Aad, 'dat we hulp moeten inschakelen.'

'Agent Piet,' zeggen V3&K bijna in koor.

'Juist. Ik zal hem even bellen.'

Vijf minuten later staat agent Piet samen met zijn poedel voor de deur. Piet is oud, net als opa Aad. Hij heeft zijn leven lang bij de politie gewerkt.

'Ja,' zegt hij, als hij het krantenartikel gelezen heeft. 'Ja, dat herinner ik me wel. We hebben die Bertram destijds stevig verhoord, toen we hem vonden. We konden het niet

bewijzen, maar er deugde iets niet aan die man ...'

'Weet u veel!' zegt Via. 'Misschien heeft hij Jay Dean zelf wel ONTVOERD! Hij is natuurlijk op *losgeld* uit!'

De anderen kijken hem aan. Ditmaal zuchten ze niet. Via kan best eens gelijk hebben ...

'Ik zal er weer eens in duiken,' zegt agent Piet. 'Wie weet kan ik nog wat nieuwe informatie vinden.'

7. BAND ZOEKT MANAGER

'En ene tweje drie!' Via telt af en **V3&K** zet een liedje in dat nog maar net op hun lijst staat. Het is de laatste grote *hit* van Jay Dean: "Movin' On". Maar al hebben ze precies uitgeplozen hoe het nummer gespeeld moet worden, het klinkt niet.

'Stop maar!' roept Vibo al na het eerste couplet. 'We klinken als een *scheetkussen*.'

'Ik snap wel dat Jay Dean niet durfde op te treden,' zegt Via. 'Die liedjes van hem zijn gewoon niet live te spelen!'

Vio plukt aan de lage e-snaar van zijn bas. Je voelt het geluid trillen in je buik. 'Ik ben heel benieuwd wat agent Piet te weten komt over die Bertram,' zegt hij.

Vibo doet zijn gitaar af. 'Volgens mij zijn we er allemaal niet bij met ons hoofd. Oefenen heeft geen zin vandaag.'

Hij zet de **versterker** uit, plugt zijn gitaar los en zet hem op de standaard.

'We kunnen even kijken op internet,' zegt Kris.

'Wat wil je zien dan?' vraagt Via.

'Drie keer raden,' zegt Kris.

'Dat wéét ik toch niet?' zegt Via. 'Hoe kan ik nou raden!'

Kris schudt haar hoofd.

Ze gaan Vibo's huis in, naar boven, naar de computerkamer aan de voorkant van het huis.

Terwijl de pc opstart, kijkt Vio naar buiten. Hij ziet een **rode** *pick-**up**truck stapvoets door de straat gaan.

De bak van de auto is volgestapeld met meubels. Boven
op de berg staat iets wat zijn aandacht trekt. Er staat een
Marshallversterker op de truck. 'Moet je kijken!' roept hij.

Een Marshallversterker is de Porsche onder de versterkers,
de Rolls Royce, de Ferrari, de ... Als je een Marshall-
versterker hebt, ben je een echte muzikant.
'Kijken?' stelt Vibo voor.
'Van dichtbij?' zegt Vio.
Ze knikken en denderen de kamer uit, de trap af, naar buiten.

De pick-up staat bij het studentenhuis. Twee mannen
zijn bezig de bak leeg te halen. De twee V's zijn te laat: de
versterker is al naar binnen gebracht.
Kris en Via zijn inmiddels achter hen aan gerend.
'Er wordt hier de laatste tijd veel verhuisd,' zegt Kris.
Vibo haalt zijn schouders op. 'In studentenhuizen blijven de
bewoners soms maar kort. Als ze een grotere of goedkopere
kamer vinden, vertrekken ze,' legt hij uit.

Als je een Marshallversterker hebt, speel je gitaar. Zou er een **echte** *gitarist* in het studentenhuis komen wonen? Iemand die in een bandje speelt, net als zijzelf?

Ze hoeven het niet eens hardop tegen elkaar te zeggen: ze gaan wachten. Ze willen weten wie de eigenaar van de versterker is.

Het duurt niet lang voor er twee mannen naar buiten komen. Ze lopen naar de truck en bekijken V3 en K, maar besteden geen aandacht aan hen. Ze tillen een kleine koelkast uit de laadbak.

'Was die Marshall van jullie?' vraagt Kris, die natuurlijk weer meer durft dan de drie V's.

De mannen hebben het koelkastje op hun onderarmen gezet. Ze kijken elkaar snel aan, alsof ze overleggen.

'Eh, ja,' zegt een van hen dan. Hij heeft lang haar en een baard.

'Tof,' zegt Vibo. 'En wat voor gitaar heb je?'

'We hebben even geen tijd,' zegt de andere man, die stekelhaar heeft. 'Deze ijskast is zwaar.'

Ze lopen het huis binnen.

Teleurgesteld gaan V3 en K terug naar Vibo's huis. Ze hadden graag vrienden willen worden met de eigenaar van de versterker.

Vibo's moeder stapt net op dat moment uit de auto.

'*Hé*, popsterren,' zegt ze. 'Ik kom net bij de kapper vandaan en ...'

'Zit leuk,' zegt Vibo, die geen verschil ziet met vanochtend.

Zijn moeder glimlacht. 'Dank je. De nieuwe roddelbladen staan vol met stukjes over *jullie* **held** Jay Dean.'

'Wat schrijven ze?' vraagt Kris.

Vibo's moeder loopt het tuinpad op en V3 en K gaan haar achterna.

In de keuken krijgen ze cola, terwijl Vibo's moeder vertelt. Het ene blad denkt dat Jay Dean plotseling plankenvrees heeft gekregen en niet meer durft op te treden. Het andere blad beweert dat hij met een geheim project in Amerika bezig is, samen met een paar wereldsterren. Er is ook een blad dat schreef dat aliens hem ontvoerd hebben.

'Wat zielig voor hem!' zegt Via. 'Dus nou zit ie **in een ruimteschip** met een paar popsterren met wie hij niet durft op te treden?'

De anderen zuchten in koor.

'Hij kan toch niet echt verdwenen zijn?' zegt Vibo een beetje bezorgd. 'We zouden te horen krijgen wanneer er een inhaalconcert is. Als dat er niet komt, zijn we dan ons geld kwijt?'

'Dat weten we pas als we bericht krijgen,' zegt Vibo's moeder. 'Hou de website maar in de gaten. Daar komt het zeker op te staan.'

Als hun glazen leeg zijn, gaan K en de drie V's toch nog maar even naar het tuinhuisje. Ze hebben vanmiddag nauwelijks gerepeteerd. Als ze het helemaal willen gaan maken, zullen ze toch echt moeten oefenen. Maar alweer wil het niet vlotten. Ze zijn allemaal met hun gedachten bij de verdwenen Jay Dean.

'Ik weet het!' roept Kris opeens dwars door het eerste couplet van een nummer heen. 'Ik weet wat we moeten doen!'

De drie V's houden op met spelen. Ze kijken haar

nieuwsgierig aan.

'Het is heel simpel!' zegt Kris. 'We melden ons aan bij die Bertram. Zo simpel is het!'

'Hoe bedoel je?' zegt Via.

Kris kijkt de drie jongens aan. 'Wij zijn een band. Ja?'

'Ja.'

'We hebben optredens nodig. En hoe kom je aan optredens?'

De jongens schudden hun hoofd. Ze weten het niet.

'Daar zorgt een manager voor!' zegt Kris.

'Maar die hebben wij niet,' zegt Via.

'Juist. Dus vragen wij die Bertram om de manager van V3&K te worden. Dan zitten we boven op zijn lip en kunnen we hem in de gaten houden!'

'En als hij ons nou niet wil?' vraagt Vibo.

'We zorgen dat hij ons wil,' zegt Kris vastberaden. 'Ik weet al hoe.'

8. BIJ BULK BERTRAM

'Tja,' had opa Aad gezegd. 'Ik geloof niet dat het kwaad kan als jullie je plannetje uitvoeren. Agent Piet heeft nog niets van zich laten horen. Die moet aankloppen bij zijn oude collega's en daar gaat alles volgens de regeltjes. Het zou best kunnen dat jullie veel sneller iets over die Jay Dean te weten komen dan Piet. De kranten staan vol over hem. Niemand snapt waarom hij verdwenen is.'

Ze hadden het oude adres van Bertrams bedrijf opgezocht. Volgens opa Aads laptop zat daar nu een bedrijf dat Happy Note heette.

'Blije muziek ...' zei opa Aad. 'Management en impresariaat. Ik geloof dat we beet hebben.'

'Top,' zei Kris.

Nu zijn V3 en K onderweg naar Happy Note. Via rijdt naast Kris. Hij snapt nog steeds niet goed wat Kris van plan is om Bertram over te halen hun manager te worden.

Pas toen ze op hun fietsen stapten, had Kris het laatste stukje van haar plan verteld.

'Hoe kun je nou betalen met geld dat niks waard is?' vraagt Via. 'En waaróm wil je hem betalen?'

Kris zucht. 'Nou, nog een keer dan ... Wij hebben de buit van Rikko de **kluiskraker** gevonden in het Zaanenbos.'

'Ja, hè, hè, daar was ik bij. Dat ben ik heus niet vergeten, hoor.'

'Die buit,' gaat Kris onverstoorbaar verder, 'is oud geld. Guldens. Rikko heeft er niks aan. Hij kan het niet omwisselen in euro's, omdat het gestolen geld is. De bank

gaat dan uitzoeken hoe hij eraan gekomen is en waarom hij het niet op tijd heeft ingewisseld.

Wij bieden die Bertram dat geld aan. Als salaris voor het werk dat hij voor ons moet gaan doen. Bertram kan wel naar de bank om de guldens in te wisselen voor euro's.

Hij kan gewoon zeggen dat hij het kwijt was en weer heeft teruggevonden.' Ze kijkt hem slim aan. 'Als hij deugt, doet hij het natuurlijk niet. Dus als hij "ja" zegt, weten we dat hij niet te vertrouwen is.'

'Maar een manager moet toch geld voor een band verdienen? Dan is het onzin om hem te betalen,' zegt Via.

'Hier links!' roept Vibo. 'We zijn er zowat!'

Happy Note zit in een gewoon woonhuis. Op het raam van de woonkamer is een enorme sticker geplakt met de naam van het bedrijf. Eromheen hangen foto's van artiesten. De grootste foto is van Jay Dean. Hij is blijkbaar de belangrijkste artiest van het kantoor. Terecht natuurlijk. Ze zetten hun fietsen een stukje verderop tegen een boom en lopen dan terug.

'Oké,' zegt Vibo. 'Weten we hoe we ons moeten gedragen?'

'En wat we moeten zeggen?' vult Kris aan.

Ze knikken allemaal.

Dan drukt Vibo op de bel, een kastje waarin een speakertje is ingebouwd.

Het duurt even, dan kraakt de speaker. 'Ja?' zegt een vrouwenstem.

'We hebben een afspraak,' zegt Kris stoer.

Het lijkt of er aan de andere kant wordt geaarzeld. Dan zoemt er iets en met een klik gaat de voordeur open.

Het huis is verbouwd tot een kantoor. De woonkamer is in tweeën gedeeld. In de voorste helft staan een bureau en een grote metalen kast. De muren zijn volgeplakt met posters en affiches. Het zijn aankondigingen van festivals en concerten. Onder de vensterbank staan wat stoelen rond een salontafeltje.

Achter het bureau zit een hip meisje in kleren met duizend verschillende kleuren. Ze kijkt V3 en K verbaasd aan. Het is duidelijk dat ze geen kinderen verwachtte.

'Wat komen jullie doen? We hebben geen heitje voor een karweitje, als dat het is.'

De drie V's kijken naar Kris. Dit is háár plan, dus mag zij het woord doen.

'Wij zijn V3&K,' zegt ze. 'Onthoud die naam, want wij gaan het helemaal maken. En meneer Bertram mag onze manager worden.' Ze kijkt het meisje uitdagend aan.

Het meisje kijkt verbijsterd terug, alsof ze haar oren niet gelooft. 'Zijn jullie nou helemaal getikt? Dat moet je niet willen. Maak dat je wegkomt, voordat Bulk Bertram het hoort!'

'Wat moet ik horen?' zegt een stem en er komt een man binnen. Hij is klein, mager en draagt een strak pak. Met zijn kaalgeschoren hoofd ziet hij eruit als een belangrijke zakenman. Dit is dus Bulk Bertram.

Het meisje knikt naar de vier bandleden. 'Ik wilde die pubers net wegsturen.'

'We zijn geen pubers. We zitten nog op de basisschool,' zegt Via verontwaardigd.

'Foei, Wendy,' zegt Bertram. 'Hier ga je meer van horen!'

Bulk Bertram draait zich om en kijkt hen aan. Zijn ogen zijn

heel groot, heel blauw en ze kijken heel onschuldig. Via heeft het gevoel dat hij zou kunnen verdrinken in dat blauw. Wat een aardige man, denkt hij. Als dit hun manager wordt, zijn ze straks wereldberoemd, hij weet het zeker.

Hij kijkt enthousiast naar de andere bandleden. Die hebben hun blik ook allemaal op Bulk Bertram gericht.

'Zo, en waarom zijn jullie hier?' vraagt Bertram. 'Toch zeker niet om nieuwtjes over Jay Dean te horen?' Hij draait zich naar het meisje. 'Ik heb nog zo gezegd, geen nieuwsgierige fans binnenlaten, Wendy.' Hij klinkt als een teleurgestelde Sinterklaas; niet boos, maar verdrietig.

Via heeft op slag medelijden met hem. Hij snapt best dat die arme meneer Bertram door alle journalisten van het land wordt lastiggevallen over de verdwijning.

Nu neemt Vibo de leiding. 'We zijn geen fans, wij zijn een band,' zegt hij. 'We heten V3&K en we gaan het helemaal maken.'

'V3&K?' herhaalt Bulk Bertram.

'Onthoud die naam!' zegt Kris. Zij is weer een beetje zichzelf. 'En wij hopen dat u optredens voor ons kan eh ...'

'Boeken?' vraagt Bertram.

'Juist!' zegt Vibo. Hij zou er zelf ook niet op zijn gekomen, maar nu weet hij het weer: optredens worden geboekt.

'Meneer Bertram heeft helemaal geen ...' zegt Wendy.

Maar Kris onderbreekt haar. '*En we hebben geld!*' zegt ze. 'We hebben oud geld.'

Bertrams blauwe ogen worden nog iets blauwer. 'Nou, laten

we maar eens even in mijn kantoor gaan zitten.'

Hij neemt hen mee door een deur achter Wendy's bureau. Ze komen in de andere helft van de woonkamer.
Openslaande deuren gaan naar een droevige tuin vol onkruid. De tuin grenst aan een enorme muur, waarschijnlijk van een pakhuis of een fabriek. De muur houdt het zonlicht tegen.
Bertram gaat achter een bureau zitten dat volgepakt is met stapels papier. Hij wijst naar een bank die tegen de muur staat, naast een grote, groene brandkast.
Via bekijkt het ijzeren ding. Er zit een enorme hendel aan de deur en de brandkast heeft twee sleutelgaten. Dit is dus een kluis, zo'n ding dat Rikko open kan krijgen.
'Neem plaats, jongens,' zegt Bulk Bertram. 'Ik heb altijd belangstelling voor jong talent. Jong talent is net als een jong plantje. Heel kwetsbaar. Je moet het met liefde verzorgen. Dan groeit het en gaat het bloeien.'
Via kijkt naar de treurige tuin. Aha, *denkt hij*.
'Jullie zijn naar de juiste man gekomen, jongens,' zegt Bulk Bertram. 'Maar op het verkeerde moment. Ik zit vreselijk in mijn maag met de verdwijning van Jay Dean. Die moet eerst worden opgelost.'
V3 en K kijken elkaar aan.
'Tot die tijd moeten we maar wat voorlopige afspraken maken ...'
'Zullen we u een keer laten horen hoe we klinken?' stelt Vibo voor.
Bertram schudt zijn hoofd. 'Niet nodig. Ik vertrouw jullie op jullie *blauwe* ogen.'

'Bent u ook de manager van Jay Dean?' vraagt Kris heel onschuldig.

Bulk Bertrams gezicht betrekt. Zijn ogen worden diepbedroefd. 'Mijn oogappel,' zegt hij zachtjes. 'Mijn lieveling. Hij was niets. Een onkruidje ... Ik heb een prachtige rozenstruik van hem gemaakt. En nu? Nu laat hij me stikken. Ik heb alles voor hem gedaan ... Alles.'

V3 en K hebben diep medelijden met hem.

'Is de politie naar hem op zoek?' vraagt Via. 'Hij moet toch ergens gevonden worden?'

Bertram knikt. Zien ze een traan in zijn ooghoek?

'Het zijn grote mensenzaken,' zegt hij. 'Daar moeten jullie je maar niet mee bemoeien.'

Hij staat op, loopt naar de kluis, steekt een sleutel in een van de sleutelgaten en draait aan de hendel. Dan trekt hij de deur open en pakt iets uit de brandkast.

V3 en K kunnen niet zien wat er in de **kluis** zit. De deur gaat alweer dicht.

Met een stapeltje papieren in zijn hand, loopt Bertram weer naar zijn bureau. 'Dit is een overeenkomst,' zegt hij. 'Afspraken tussen de artiesten en de manager. Eigenlijk gaat het alleen om het laatste vel. De rest is een hoop wettelijk gezeur om jullie te beschermen, kleine kasplantjes. Ik geef jullie het laatste blad mee. Lees het zorgvuldig door. Als jullie het ermee eens zijn, mogen jullie tekenen. En jullie ouders of verzorgers ook natuurlijk. Zullen we afspreken dat jullie volgende week terugkomen?'

V3 en K knikken enthousiast. Hun plan is gelukt!

9. PAPIEREN

'Oud geld? Heb je dat gezegd?' Opa Aads gezicht is één grote grijns.

'Ja,' zegt Kris. '**Guldens** *zijn* **toch oud geld?**'

'Oud geld betekent iets anders; dat je uit een rijke familie komt die al héél lang heel veel geld heeft. En dat is dus wat Bulk Bertram nu denkt; dat jullie rijkeluiskindertjes zijn.'

'Zo is Bulk niet,' zegt Via. 'Daar is hij veel te aardig voor. Hij is heel verdrietig om Jay Dean. Hij huilde bijna.'

De anderen knikken. Via zegt eindelijk weer eens iets verstandigs.

'Hm,' zegt opa Aad. Hij kijkt naar het blaadje dat voor hem op tafel ligt. 'Eén blaadje van een contract? Eentje maar? Weten jullie wat er op de rest van die blaadjes staat?'

Vio, Vibo en Kris schudden hun hoofd.

'Dingen om ons te beschermen,' zegt Via. 'Omdat we **kasplantjes** zijn.'

'Aha, en die moeten worden opgekweekt om ze later te kunnen kaalplukken?' zegt opa Aad.

V3 en K knikken. Zoiets heeft Bertram gezegd, maar ze hebben geen idee wat hij bedoelde.

'En nu?' vraagt opa Aad.

'Nu krijgen we optredens en Bertram maakt ons **beroemd!**' zegt Via enthousiast.

Op de terugweg waren ze het erover eens geweest: zo'n aardige man als Bulk Bertram kan nooit achter de verdwijning van Jay Dean zitten. En die kinderen die vroeger werden opgelicht, dat moet ook een vergissing zijn.

'Nu hebben we een contract,' zegt Vibo. 'Als we tekenen,

wordt Bulk Bertram voorlopig onze manager. Zodra Jay Dean gevonden is, heeft hij tijd voor ons.'

Opa Aad rijdt zijn rolstoel naar de hoek van de kamer, waar een stapel kranten en tijdschriften ligt. Hij pakt ze op en legt ze op tafel.

'Ik ben daarnet even in de buurtsuper geweest. Moet je kijken ...'

V3 en K gaan om hem heen staan. Ieder tijdschrift en iedere krant schrijft iets over Jay Deans verdwijning. In sommige kranten is het niet meer dan een paar regels.

In andere kranten klagen boze fans dat ze hun **geld** *terug* willen of dat ze nog steeds niet weten wanneer het concert wordt ingehaald. In de roddelbladen worden de verhalen een beetje mal. 'Jay Dean ontvoerd door aliens?' of 'Het dubbelleven van superster JD'.

'Valt jullie iets op?' vraagt opa Aad als ze zo'n beetje alles gelezen hebben.

De bandleden kijken elkaar aan en schudden hun hoofd. 'Niemand heeft **Bertram** gesproken ... of Bertram wil niets zeggen.'

'Tuurlijk niet!' zegt Via. 'Bertram wil niks naars over Jay Dean zeggen. Jay is zijn grootste talent! Zijn rozenstruik.'

Opa Aad grinnikt. 'Die man lijkt wel een tuinman.'

'Zo noemt hij zichzelf ook!' zegt Via tevreden.

'Ja, ja,' zegt opa Aad. Je kunt duidelijk horen dat hij **twijfelt**. 'Zeg, hoe is het met jullie opdracht?' vraagt hij dan. 'Ik heb nog geen verslag van jullie gehad.'

V3 en K kijken elkaar aan. Ze weten even niet waar hij het

over heeft.

'Het bedrijventerrein?' zegt opa Aad. 'Jullie houden toch wel elke dag de wacht?'

Vijf minuten later is de band fietsend op weg om hun wachttijd in te halen.

'Wij zijn een fietsband!' roept Via naar de anderen.

Die lachen niet om zijn grapje. CHAGRIJNEN.

Het bedrijventerrein is verlaten, net als de vorige keer.

Ze rijden een paar rondjes om de gebouwen heen en ertussendoor.

'Dobry!' roept Vibo opeens.

Ze remmen allemaal. Bij een grote loods staat een wit bestelbusje. Ze herkennen het, het is van Dobry, de *Poolse klusjesman* die het huis van Kris helemaal heeft opgeknapt. Dobry is een vriend geworden. Misschien dat hij hen kan helpen.

Ze zetten hun fietsen neer en lopen de loods in. Dobry's werkplaats is een afgetimmerd hok. De hele loods is in zulke hokken ingedeeld. Zo is er plek voor veel kleine bedrijven, van tuiniersbedrijven tot pottenbakkers.

Dobry staat net de deur van zijn werkplaats af te sluiten.

Hij vindt het leuk V3&K weer eens te zien en denkt diep na over Vibo's vraag of hij rare dingen heeft gezien op het bedrijventerrein.

'Het is altijd raar hier,' zegt hij. 'Steeds vreemde mensen. Nieuwe bedrijven. Komen en gaan weer. Verd*a*cht? N*iet* ver*d*acht? Ik weet het niet. Er wordt een loods verbouwd. Is dat verdacht? Veel steenwol.'

'Gaan ze muren breien?' vraagt Via.

Dobry kijkt hem aan alsof hij onzin praat. 'Steenwol isoleert en dempt geluid. Buiten hoor je niks. Mensen die stiekem herrie willen maken, plakken steenwol op de muren.'

'Als je iemand gevangen wil houden ...' zegt Vio peinzend. Iedereen kijkt hem verbaasd aan. Áls bassisten hun mond opendoen, zeggen ze altijd iets verstandigs. Nu ook?

'Als Bulk Bertram nou tóch iets te maken heeft met de verdwijning van Jay D...'

'Neeheé!' roepen Via, Vibo en Kris tegelijk.

Vio gaat onverstoorbaar verder. 'Je moet nooit iemand geloven op zijn mooie blauwe ogen.'

'Je gelooft Bertram toch wel? Hij is onze manager!' zegt Via.

'Het kán,' zegt Vio. 'Het hoeft niet, maar het kán.'

Dobry heeft nadenkend voor zich uit gekeken. 'Er was een rood vrachtwagentje. Met zo'n laadbak. Hoe heet zo'n auto?'

'Een *pick-**up**truck?*' zegt Vibo.

'Ja!' zegt Dobry. 'Komt steeds als de mensen weg zijn. Vol met steenwol en nog meer spullen. Was een paar keer een rare man bij. Veel zwart haar met krullen.'

'Hé,' zegt Via. 'Zo iemand heb ik ook gezien. Iemand met raar haar. Ik moest steeds aan Zwarte Piet denken.'

Ergens in zijn hoofd lijkt een lampje aan te gaan. Hij weet opeens wat hem dwarszat. Hij heeft het al een paar keer gedacht, maar er niet echt aandacht aan besteed. Nu pas begrijpt hij hoe slim hij al die tijd was.

'Een pruik!' zegt hij. 'Een zwartepietenpruik als vermomming!'

Dobry en de andere bandleden kijken hem stom aan. Ze

hebben zijn gedachten weer eens niet kunnen volgen.

'Welke Piet? Wie is Piet?' wil Dobry weten.

'O, dat is met Sinterklaas,' zegt Via, maar dat helpt niet erg. In Polen doen ze niet aan Sinterklaas zoals hier.

V3 en K kijken elkaar aan. Heeft Via weer een van zijn heldere momenten?

Als dat zo is, hebben ze iets ontdekt. Ze weten nog niet wat, maar er zijn puzzelstukjes die in elkaar passen. Nu moeten ze nog ontdekken wat de puzzel voorstelt.

'Als je nog eens iets verdachts ziet, wil je ons dan bellen?' vraagt Vibo.

'Moeilijk,' zegt Dobry. 'Bereik slecht op het terrein. Te veel beton en zo. Bellen lukt haast nooit.'

Ze bedanken Dobry en beloven gauw weer op bezoek te komen. Ze moeten wel, als bellen niet lukt.

Als ze het terrein af fietsen, schiet Vibo iets te binnen. Een rode pick-uptruck, heeft Dobry gezegd. Stond er voor **het studentenhuis** in hun straat niet óók een rode pick-up?

10. OP BEZOEK AAN DE OVERKANT

Na het eten zit V3&K in het tuinhuisje in Vibo's achtertuin.

Vibo heeft een stuk behangpapier tegen een van de ramen geplakt. Hij staat er met een viltstift bij en bekijkt zijn aantekeningen.

- JD is onvindbaar
- Bulk B. heeft ermee te maken?
- Zwartepietenpruik
- Rode pick-up
- Verbouwing op bedrijventerrein

'Hebben we nog meer aanwijzingen?' vraagt hij.

'Pas als agent Piet weer informatie heeft,' zegt Vio. 'Dan weten we of dat vraagteken bij Bulk Bertram weg kan.'

'Bulk is onze manager!' zegt Via. 'We hebben een contract. We móéten hem wel vertrouwen.'

'O ja, bedankt,' zegt Vibo. 'Dat was ik vergeten.' En hij voegt '– Contract' toe aan het lijstje.

'Komen we er ooit achter wat er met Jay is gebeurd?' vraagt Kris zich hardop af. 'Het is allemaal met hem begonnen.'

'Misschien hebben de andere dingen op ons lijstje er niets mee te maken,' zegt Vibo twijfelend. 'We weten niks ...'

'Wat je niet weet, moet je vragen,' zegt Via. 'Dat zegt mijn vader tenminste. Maar eh ...' Hij is even verstrikt in zijn eigen gedachten. 'Als we niks weten, moeten we dus niks

vragen … **Dat is óók raar!'**

De anderen zuchten.

'Ja wat nou!' zegt Via beledigd.

Vibo legt de stift weg. 'We kunnen wél wat vragen. Gewoon aan de overkant, bij de studenten. De rode pick-up, weten jullie nog? Die Marshallversterker werd verhuisd in een rode pick-uptruck.'

Kris staat op. 'Geweldig. Kom op, we gaan meteen. Hier een beetje zitten, helpt ook niet.'

Vijf minuten later staan ze voor het studentenhuis. Naast de deur zitten een stuk of wat bellen. Onder sommige zijn namen geplakt. Alleen voornamen.

'We proberen het net zolang tot er wordt opengedaan,' zegt Kris. Ze drukt op de bovenste bel. Bij de vierde poging is het raak. Er klinkt een klik en de deur springt van het slot.

V3 en K kijken elkaar aan. Wat is de bedoeling? Mogen ze naar binnen of moeten ze wachten tot er iemand naar de deur komt?

Ze besluiten te wachten.

'**Ja, w*at is* er *da*n?**' klinkt het opeens hoog boven hen. Ze kijken omhoog. Op de zolderverdieping hangt iemand uit een dakkapel.

'Ik heb geen heitje voor een karweitje! Dus als jullie daar voor komen, trek de deur dan weer dicht.'

'We komen voor Paul!' roept Kris terug.

'**Paul?**' herhalen de drie V's bijna in koor. Ze kennen geen Paul.

'Ik weet niet hoe alle nieuwe mensen heten!' roept het hoofd op zolder.

'Hij verhuisde met een rode pick-up,' roept Kris terug.

'O die? Achterkamer tweede verdieping. En doe de voordeur goed dicht!' Het hoofd verdwijnt.

Kris kijkt de jongens triomfantelijk aan. 'Gelukt.'

'Wie is Paul dan?' vraagt Via.

'Sjonge,' zegt Kris. 'Weet ik veel! Kom, we gaan naar binnen.'

Ze lopen de voordeur door en komen in een vestibule. Rechts is een deur, achterin nog een. De trap is aan hun linkerhand. De vestibule staat vol fietsen en het ruikt er naar kattenbak.

'Naar boven,' zegt Kris. Ze loopt naar de trap.

Via ziet dat Vibo haar een bewonderende blik toewerpt. *Meiden,* denkt hij.

Op de overloop van de eerste verdieping zijn weer een paar deuren. V3 en K kijken elkaar aan. Welke moeten ze hebben? Als er nou iemand gitaar speelde, hadden ze het meteen geweten.

Kris is weer degene die de leiding neemt. Ze loopt naar de eerste deur en klopt erop. Er gebeurt niets. Ze pakt de deurkruk en doet hem omlaag. De deur is op slot. Bij de volgende twee deuren is het hetzelfde verhaal.

Als ze op de vierde deur klopt, klinkt er na een paar tellen een gedempte stem.

'Ja?'

Kris kijkt de drie V's snel aan, alsof ze om raad vraagt, en zegt dan: 'Controle!'

Er wordt aan de deur gemorreld. De deur gaat op een kiertje open. 'Huh?' zegt een stem.

Ze kunnen niet zien wie er binnen staat. Het is te schemerig op de overloop.

'Doe even een lichie aan,' zegt de stem. 'De knop zit naast de trap.'

Vibo kijkt, vindt de lichtknop en drukt erop. Er gaat een kale spaarlamp branden.

'Wat is er nou?' zegt de stem.

'Eh, er lag een foldertje in onze brievenbus. Geeft u huiswerkklas?'

De jongens kijken elkaar VERBIJSTERD aan. Waar haalt Kris het vandaan?

'Wát?' de stem aan de andere kant is net zo verbaasd.

Dan gaat de deur wijd open. Ze zien een man staan. Hij heeft een merkwaardig kapsel. Zijn haar is pikzwart en krullerig.

Een blanke zwarte piet, denkt Via.

Dan ziet hij het pas ... Zijn mond zakt open.

11. JAY DEAN

De man is kleiner dan ze hadden gedacht.

Hij is ook jonger. De nylon zwartepietenpruik staat scheef, alsof hij hem haastig heeft opgezet.

'Jay Dean!' zuchten V3 en K in koor.

'Ssst! Hou je mond nou! Ik ben Jeroen! Wat moeten jullie? En hoe weten jullie dat ik hier ben?' Hij wacht een antwoord niet af. 'Kom binnen.'

V3 en K blijven op de overloop staan. Ze hebben alle vier het gevoel dat ze dromen en straks wakker gaan worden. Wat hun nu overkomt hadden ze nooit, nooit kunnen denken. Staan ze hier echt tegenover ... In hun eigen straat? In een huis waar kamers verhuurd worden aan studenten?

'Nou, komen jullie?' zegt Jay Dean dwingend.

Kris is de eerste die in beweging komt. Ze stapt de drempel over. De drie V's volgen haar.

De kamer is niet groot en hij is nauwelijks ingericht. Een bed, een stoel, een paar weekendtassen en ... de Marshall-versterker met een opengeklapte gitaarkoffer ernaast. Vibo kijkt onwillekeurig in de koffer.

'Wow!' zegt hij. EEN GIBSON LES PAULGITAAR! Dat is de droom van iedere gitarist.'

Dan kijkt hij weer naar de man die op het bed is neergeploft. Hij heeft zijn pruik afgedaan en nu is iedere twijfel verdwenen. Ze zijn echt in één kamer met Jay Dean, hun held. De vermiste popster. Ze hebben hem gevonden!

'Sjonge!' zegt Jay Dean. 'Kun je dan nergens rustig verstopt zitten ...'

'Verstopt?' zegt Via. **'Wie ...'**
Hij maakt zijn zin niet af. Je weet nooit wat onbeleefd is bij pop-sterren. Moet hij 'u' zeggen? Mag hij 'je' zeggen? Misschien is niets zeggen het beste.

'Jullie zijn toch niet gestuurd, hè?'
Ze schudden alle vier hun hoofd.
'Door wie?' vraagt Via, die zijn nieuwsgierigheid toch niet kan bedwingen.

Jay Dean antwoordt niet. 'Hoe hebben jullie me herkend? En wat willen jullie? Jullie gaan toch niet naar de krant, hè? Of iets op internet zetten?'

V3&K schudden hun hoofd. Ze zijn nog steeds van slag. In Via's hoofd rennen tientallen vragen door elkaar. Kris probeert puzzelstukjes in elkaar te schuiven. Vibo trommelt op zijn bovenbenen.

Ze staan alle vier te staren alsof ze een zeldzaam dier bekijken. Ze voelen dat ze eruitzien als een stelletje malloten. Vio is de eerste die iets zegt. 'Toffe versterker. **Vette** *gitaar*. Hebt u ook een effectenbak?'
Het lijkt de beste vraag die ze hadden kunnen stellen.
Jay Dean ontdooit een beetje. 'Het is een vóórversterker. Mijn versterker staat in de opslag, samen met alle opnameapparatuur en de andere spullen van de band. Ik heb niet zoveel aan de Marshall zonder de hoofdversterker en mijn gitaar klinkt zonder versterker als nat stro. De kastjes met effecten heb ik niet eens meegenomen.'
'Wij hebben wel versterkers,' zegt Via.

'En effecten,' zegt Vibo.

'En wie zijn jullie dan?'

'V3&K, onthoud die naam,' zegt Kris.

'Ja, want onze band gaat het helemaal maken. Later. Net als jij ... eh ... u ... eh ju,' hakkelt Vibo.

Jay Dean schiet in de lach en dat zorgt ervoor dat V3 en K ook moeten lachen. Van opwinding en ongemakkelijkheid. Als ze uitgelachen zijn, staan ze weer met hun mond vol tanden.

'We waren bij jouw optreden in de HMH!' zegt Via. 'Wat was er toen aan de hand?'

'Dat het niet doorging?' legt Kris uit.

'En wat is er nú aan de hand?' vraagt Vio.

'Waarom zit eh, je, hier?' vraagt Vibo.

'Dus jullie zijn fans én collega's,' zegt Jay Dean. 'Het spijt me dat ik jullie teleurgesteld heb bij dat optreden. Maar het kon niet anders.'

'Ons en nog een paar duizend mensen,' zegt Vio. 'De kranten staan er vol van.'

Jay knikt. 'Ik weet het. En ik ben echt van plan het goed te maken. Maar ik kan niet meer spelen.'

'Heb je iets aan je handen?' vraagt Via. 'Wij kunnen wel spelen hoor, dan hoef jij alleen maar te zingen.'

De andere drie zuchten in koor.

Jay Dean schudt zijn hoofd. 'Nee, het is anders en ingewikkelder. Het is zakelijk.'

'Je bent toch muzikant?' zegt Via verbaasd. 'En geen zakenman? Mijn vader is zakenman en die kan niet eens zuiver fluiten.'

Jay Dean glimlacht dun en schudt zijn hoofd. 'Dat is precies

het probleem, jongens. Maar dit zijn grotemensendingen. Daar moeten jullie je niet mee bemoeien.'

'Wij zijn óók muzikanten,' zegt Kris.

'We hebben zelfs een MANAGER die onze zaken gaat regelen,' zegt Via trots.

Jay kijkt hem aan. 'Dan hoop ik dat jullie een betrouwbare hebben. En een goed contract.'

'Nou en of,' zegt Via trots. 'Het is dezelfde die jij hebt. Dus dat zit wel goed.' Hij voelt dat hij iets zegt wat niet klopt, maar hij weet niet precies wát.

Bij de andere bandleden lijkt opeens *een* lampje te gaan branden. Ze kijken elkaar aan.

Als Jay Dean zakelijke problemen heeft en ze hebben dezelfde manager als hij ... betekent dat dan ... betekent dat ...?

'Jullie hebben **Bulk** Bertram als manager?' Nu is het Jay Dean die er van verbijstering niet al te intelligent uitziet.

V3 en K knikken.

'Hebben we vanmiddag geregeld,' zegt Kris.

'En ... jullie hebben toch nog niets getekend, hè?' Jay Dean klinkt alsof hij bang is dat ze een krokodil hebben losgelaten in de gang.

'Er was niet veel te tekenen,' zegt Via. 'Het was maar één blaadje.'

Jay Dean knikt. 'En de rest,' mompelt hij.

Wat hij verder zegt, kunnen V3 en K niet verstaan.

'Maar nou weten we nog niet waarom het cOncert niet doorging,' zegt Vibo.

Er bliept een telefoon. Jay graait in zijn broekzak en haalt zijn toestel tevoorschijn. 'Yo,' zegt hij en daarna luistert hij,

knikt af en toe en glimlacht. 'Prima,' zegt hij na een tijdje. 'Ik kom eraan. Sie joe!'

Hij gaat staan, bergt zijn toestel op en zegt: 'Ik moet weg, jongens.'

'Mogen we een keer terugkomen?' vraagt Kris. 'Vibo wil heel graag net zo gitaar leren spelen als u en ik wil wel zo leren zingen. En een hit schrijven willen we óók wel kunnen.'

Jay Dean grinnikt. 'Gitaarspelen zit er niet in, in dit huis. Dat geeft te veel overlast. En een andere plek om te spelen of te repeteren heb ik niet. Nóg niet.'

'O, maar wij wel!' zegt Vibo. 'Wij hebben een eigen repetitiehok. Aan de overkant, in de achtertuin.'

'O ...' Jay Dean kijkt alsof hij het een interessant aanbod vindt. 'O, nou, wie weet! Enne ... jongens, mondje dicht, hè? Tegen iedereen. Helemáál tegen Bulk Bertram en zijn mensen. Ik zal jullie misschien nog wel eens vertellen hoe het zit. Maar hou je mond. Beloof het.'

Ze geven er een high five op.

Als ze even later de deur achter zich dichttrekken, zegt Vibo: 'Nou hebben we het nog niet gevraagd, van die rode pick-up ...' Hij stokt en wijst naar de overkant.

12. WENDY

Op de stoep loopt Wendy, het hippe meisje uit het kantoor van Bulk Bertram. Ze herkennen haar onmiddellijk aan haar regenboogkleuren.

De belofte aan Jay Dean ligt nog vers in hun geheugen. Ze kijken elkaar aan. Wegduiken is onmogelijk. Ze kunnen nergens heen. Net doen of ze het meisje niet zien, is de enige oplossing.

'Nou,' zegt Vibo, onnatuurlijk vrolijk. 'En toen had ik allemaal nieuwe snaren nodig! *Hahaha!*'

De anderen lachen met hem mee. Ze zijn in een kringetje gaan staan, hun gezichten dicht bij elkaar.

'Heb ik ook een keer gehad!' zegt Via.

'Snaren? Op je drumstel?' vraagt Kris.

'Ja, op mijn snaredrum! Waarom denk je dat dat ding zo heet?' zegt Via triomfantelijk. Hij kan aan Kris' gezicht zien dat ze er nooit over heeft nagedacht. 'Er zijn snaren onder het vel van de trommel gespannen,' legt hij uit. Hij is blij dat hij eindelijk eens slimmer is dan Kris.

'En wist je dat er mensen zijn die niet eens horen of een snaar vals is?' zegt Vio. 'Mijn vader bijvoorbeeld, hè? Die ...'

Hij wil een heel verhaal beginnen, maar Wendy komt de straat overgestoken.

Via ziet het uit zijn ooghoeken en geeft Vio een por. 'Oké, nou doei, jongens!'

Als hij zich omdraait, staat Wendy bij hen.

'Hé, wat toevallig!' zegt ze. 'Dat jullie hier zijn.'

'Moet jij hier ook zijn dan?' vraagt Via. Hij hoopt dat ze de zenuwachtige trilling in zijn stem niet hoort.

'Hier?' Het meisje kijkt naar de deur en de bellen.

'Nee, ik wandelde gewoon door de buurt. Een beetje zien wat voor huizen hier nou staan.' Ze glimlacht een vuurrode glimlach. 'Wonen jullie ook in deze buurt?'

'Hier in de straat,' zegt Via trots. 'Ik woon dáár aan het eind, Vio woont daar, en Vibo en Kris wonen naast elkaar, daar aan de overkant.'

Het meisje volgt zijn wijzende vinger met haar blik. Je ziet dat ze denkt: is dat alles?

'Nou, doei dan maar weer, hè?' zegt ze. Ze loopt verder.

Als ze aan het eind van de straat de hoek om is geslagen, zegt Vibo: 'Zagen jullie haar gezicht?'

Iedereen knikt.

'Ze was teleurgesteld, of zo,' zegt Vio. 'Wat denken jullie, was ze op zoek naar Jay Dean?'

Kris schudt haar hoofd. 'Hoe zou ze moeten weten waar hij is? Maar het is wel toevallig. Té *to*evallig om toeval te zijn.'

De anderen knikken instemmend.

'Ik moet naar huis,' zegt Vio. 'Topo leren.'

Vibo en Via knikken.

'Ik ook.'

'Morgen repeteren?'

Ze knikken alle vier.

'Met Jay Dean erbij, hoop ik!' zegt Via verlekkerd.

Het is precies wat iedereen dacht.

'Ik heb *een* nummer van Jay Dean uitgezocht,' zegt Vio de volgende middag. Hij wappert met een blaadje waar akkoorden op staan. 'Zullen we dat gaan instuderen?'

Kris pakt het blaadje en leest de titel. '"Movin' On", o ja, die tekst ken ik uit mijn hoofd. Is een lekker nummer.'

Vio plugt zijn bas in. 'De akkoorden zijn niet zo moeilijk,' zegt hij.

'Maar de solo wel,' zegt Vibo. 'En die moet ik doen. Dat gaat niks worden.'

'Hé,' zegt Via, 'als we er niet uitkomen, gaan we toch gewoon vragen hoe het moet?'

Jay Dean ... Bij hen in de straat ... Ze hebben gisteravond alle vier de grootst mogelijke moeite moeten doen om thuis niets te verklappen. **Het is ze gelukt**.

'Mijn vader heeft nog gebeld,' zegt Kris. 'Naar de site waar we de tickets vandaan hebben. Ze weten daar nog niks. Ze hopen dat het concert wordt herhaald. Als Jay Dean niet opduikt, krijgen we ons geld terug.'

'Je hebt toch niks gezegd, hè?'

'Natuurlijk niet, wat denk je nou. Maar mogen we het opa Aad wel vertellen?'

De drie V's kijken elkaar aan. Dan knikken ze bedachtzaam. De belofte geldt niet voor opa Aad. Ze weten niet waarom, maar Kris' overgrootvader is een uitzondering.

'**Mán!**' zegt Vibo opeens. 'Weet je wat we helemaal vergeten zijn?'

'Nee,' zegt Via. 'Als we het vergeten zijn, weten we het toch niet meer?'

De anderen zuchten diep.

'Agent Piet,' zegt Vibo. 'Die heeft natuurlijk allang van alles over **Bulk Bertram** ontdekt. We moeten naar hem toe!'

'Naar agent Piet?' vraagt Via verbaasd.

De anderen geven geen antwoord. Ze sluiten hun apparatuur af en even later zitten ze op de fiets.

Alsof ze het hebben afgesproken, rijden ze eerst langs het studentenhuis. Daar is vanbuiten niets bijzonders te zien - natuurlijk.

Opa Aad luistert met groeiende verbazing naar hun verhaal. Ze vertellen alle vier door elkaar, maar hij volgt het probleemloos.

'Hebben jullie geen slimme vragen gesteld? Niet geprobeerd hem zijn mond voorbij te laten praten?'

Ze schudden hun hoofd. Proberen Jay Dean zijn mond voorbij te laten praten! Ze hebben er geen seconde aan gedacht. Ze zouden niet durven.

'Nou, dat is jammer,' zegt opa Aad. 'Want Piet heeft intussen wat interessante dingetjes over jullie andere vriend ontdekt.'

V3 en K kijken hem NIEUWSGIERIG aan.

'Meneer Bulk is gespecialiseerd in wurgcontracten.'

V3 en K kijken hem nieuwsgierig aan.

'Meneer heeft heel slimme juridische constructies bedacht.'

V3 en K kijken hem ALLER-NIEUWSGIERIGST aan.

Ze hebben geen idéé wat hij allemaal bedoelt.

'Jullie weten toch wel wat een wurgcontract is?'

V3 en K schudden bijna in koor hun hoofd.

'Ach, zeg dat dan,' zegt opa Aad.

'Legt u dan ook even uit wat "juridisch" is?' vraagt Via.

Opa Aad rolt zijn rolstoel een stukje naar hen toe. 'Een wurgcontract is een schriftelijke afspraak waar je nooit meer van afkomt. Het is alsof iemand zijn handen om je nek legt en je probeert te wurgen. Bulk Bertram gebruikte zulke contracten toen hij *Happy* Star, dat vorige bureau, nog had. De kinderen en hun ouders zetten hun handtekening onder iets wat ze niet begrepen. Het was zó ingewikkeld, dat je een heel goede advocaat moest zijn om er ook maar een beetje iets van te begrijpen.'

'Maar dat bureau bestaat toch niet meer?' zegt Via.

Opa Aad schudt zijn hoofd. 'Maar ik denk dat Bertram zijn oude trucjes nog steeds gebruikt. Ik denk dat jullie Jay Dean zo'n beetje *eigen*dom van Bulk Bertram is.'

13. WURGCONTRACTEN

'Dat kan toch helemaal niet?' zegt Via. 'Iemand kan toch niet van iemand zijn?'

'Vroeger wel,' zegt Vio nadenkend. 'Toen had je nog slavernij.'

'Die heb je nog steeds,' zegt opa Aad. Hij rijdt zijn rolstoel naar de eettafel en pakt een stapel blaadjes. 'Kijk, dit is wat agent Piet voor me heeft gevonden.'

V3 en K gaan bij hem staan. Het meeste wat ze lezen is onbegrijpelijke politietaal.

Opa Aad trekt een dik pak aan elkaar geniete blaadjes uit de stapel. 'Dit is een contract van Bertrams bedrijf Happy Star.' Hij bladert door het pak. Overal zijn zinnen geel gemaakt met een markeerstift. 'De kinderen die bij Bertram stonden ingeschreven moesten alles wat ze kregen aan Bulk afstaan. Hun zakgeld bijvoorbeeld. Kijk, dat staat hier.' Hij wijst naar een gemarkeerd stukje.

V3 en K lezen onbegrijpelijke woorden als 'exclusieve licentie', 'alsook' en 'totale revenuen' ...

'Ooh,' zegt Via, 'maar dat betekent allemaal niks. Het is voor de bescherming, heeft Bulk ons uitgelegd.'

'De bescherming?' opa Aad lacht. 'Ja, de bescherming van Bulk! Die kinderen mogen zelfs hun eigen náám niet meer gebruiken.' Hij leg de papieren opzij. 'Vergis je niet! Wat er in dat contract staat, betekent wél wat! En ik durf te wedden dat jullie vriend Jay net zo'n soort contract getekend heeft.'

'Kun je iemands naam afpakken?' vraagt Kris.

'Dat is te ingewikkeld om uit te leggen,' zegt opa Aad, 'maar neem van mij aan, dat het kan. Ik kan een merk van je naam

73

maken.'

'Een merk? Zoals een gitaarmerk?'

'Ja, of van sportschoenen of pindakaas. Iemand anders mag die naam dan niet meer gebruiken. Het merk Jay Dean kan best eigendom van Bertram zijn.'

V3 en K kijken elkaar aan. **Bulk** Bertram, die aardige man met die prachtige ogen ... Is het dan waar wat er over hem in de kranten staat? Als de politie al zoveel bewijzen heeft ...

Er wordt aangebeld. Kris loopt naar de voordeur. Agent Piet staat op de drempel. Hij heeft voor de verandering zijn poedel thuisgelaten.

V3 en K vertellen het hele verhaal opnieuw.

Als ze klaar zijn, zegt Vibo: 'En er was nóg wat!'

Hij vertelt wat ze dankzij Dobry op het bedrijventerrein hebben ontdekt.

'Misschien,' zegt Via, 'misschien is Bulk Bertram daar wel bezig met een gemeen plannetje. Misschien wil hij Jay Dean opsluiten in die loods. Niemand kan hem nog horen en dan kan hij *hem* wurgen met alle contracten en ...' Hij ziet de verbijsterde gezichten tegenover zich en mompelt: 'Wat nou ... het kán toch?'

'Bertram weet toch niet waar Jay Dean ís?' zegt Vibo. 'Dat weten wij alleen! Dus wat raaskal je nou over wurgen ...'

'O ja?' zegt Via kwaad. 'En die pietenpruik dan? Jay Dean had net zo'n pietenpruik op als de man die we bij de loods zagen! Die twee hebben dus iets met elkaar te maken! Ha!'

De rest zwijgt weer, maar nu van bewondering. Via heeft nu eens iets zinnigs gezegd. Hoe zit deze hele zaak in elkaar? Het wordt steeds ingewikkelder.

'Een loods geluidsdicht maken is niet verboden,' zegt agent Piet.

'Maar het is wel opvallend,' zegt opa Aad. 'Vooral nu er een popster verdwijnt en een oplichter die een paar jaar verdwenen was, juist weer opduikt.'

'Ik zeg: actie!' roept Via. 'We moeten Jay Dean bevrijden! Uit zijn wurgcontract en uit die kamer waar hij in verborgen zit.' Tot zijn eigen verbazing knikt de rest instemmend.

Ik snap niks van die mensen, denkt Via. Daarnet vonden ze het nog onzin wat ik zei. Ze zijn zélf gek.

'Ik heb nog eens wat nagevraagd bij mijn oude collega's,' zegt agent Piet. 'Jay Dean is niet officieel als vermist opgegeven bij de politie. Er is geen opsporingsverzoek.'

'Dat is heel vreemd,' zegt opa Aad. 'Als Bulk Bertram zo bezorgd om hem is, laat hij de politie toch zoeken?'

Agent Piet knikt. 'We weten dus ook niet officieel hoe hij verdwenen is en wanneer precies. Was het vlak voor het concert? Is hij nooit in die muziekhal aangekomen?'

'O ja, dat weten we wel,' zegt Via. Hij was het alweer vergeten en nu schiet het hem zomaar te binnen. 'Ik heb vlak voor het concert werd afgelast ook iemand met een zwartepietenpruik naast het podium zien staan,' zegt hij.

'En dat vertel je me nu pas,' zegt opa Aad hoofdschuddend. 'Dit is hartstikke **belangrijke informatie**, jongen!'

'Hoe moest ik dat nou weten?' zegt Via gepikeerd.

'Het is tijd voor actie,' zegt opa Aad. 'Ik stel voor dat jullie nog een praatje met jullie held gaan maken. Piet, heeft het zin om Bulk Bertram te schaduwen?'

Piet kijkt twijfelend. 'Nou ja,' zegt hij, 'de hond zal het fijn vinden om stevig uitgelaten te worden en het is ook niet

slecht voor mijn conditie.'

'Mooi,' zegt opa Aad.

'En jongens, vragen jullie **Dobry** of hij een extra oogje in het zeil wil houden op het bedrijventerrein?'

'Wat doen we eerst?' vraagt Vibo als ze buiten staan.

'Jay Dean,' antwoorden de anderen bijna in koor.

Vibo knikt. Het is een logische keuze. Wie wil er niet op visite bij je idool dat ook nog eens aan de overkant woont?

'We moeten hem uit zijn tent lokken,' zegt Vio. 'Hij moet ons *alles* vertellen.'

'In de tent lokken juist,' zegt Via. 'In onze oefenruimte. En dan gaan we jammen en dan komt ie in een goeie bui en dan vertelt ie alles.'

Het is helemaal geen slecht idee.

Kris zit als eerste op haar fiets. 'Ik ga hem halen,' zegt ze. 'In mijn eentje. Stel dat dat mens uit Bertrams kantoor ons in de gaten houdt. Dan valt het veel te veel op als we met z'n allen gaan.'

Vibo denkt even na en knikt dan. 'Oké, dan zetten wij de apparatuur alvast aan.'

'En als hij nou niet wil? Of als hij er niet is?'

'Als hij er is, wil hij,' zegt Kris. 'Reken daar maar op.'

'Wat ga je dan tegen hem zeggen?' vraagt Vio.

'Iets slims,' zegt Kris.

Via ziet Vibo kijken alsof hij diep onder de indruk is.

Jasses, denkt hij. Hij is echt helemaal smoor op 'r.

Ze rijden achter elkaar naar Vibo's huis en zetten hun fiets tegen de heg.

Er stopt een auto langs de stoeprand. Een vierkante man

in een kreukelig pak stapt uit; buurman **Brandsen**, de inspecteur van politie.

'Zo, stelletje herriemakers,' zegt hij. 'Jullie zouden eens een voorbeeld moeten nemen aan die Jay Dean. Die kennen jullie vast wel.'

Ze knikken.

'Wij nemen ook een voorbeeld aan hem,' zegt Vibo. 'We willen net zo goed worden als hij.'

'Nee, dat bedoel ik niet,' zegt buurman Brandsen. 'Jullie zouden óók spoorloos moeten verdwijnen. Heerlijk rustig.'

Bulderend van het lachen verdwijnt hij in zijn huis.

14. TE GEKKE MUZIEK IN HET TUINHUIS

Via roffelt nerveus op zijn drums. Het lukt Vio maar niet om zijn bas gestemd te krijgen. Vibo pakt alle akkoorden verkeerd. Dit is geen gevalletje van gierende gitaren, maar van gierende zenuwen.

Ze kijken allemaal naar de achterdeur van Vibo's huis. Gaat hij al open? En wie komt er naar buiten? Is het alleen Kris of heeft ze ... Zal hij het doen, zal Jay ...

Als de deur opengaat, stopt hun hart met kloppen. Ze beseffen weer eens hoe bijzonder de ontmoeting van gisteren was. Het is alsof ze wakker worden uit een droom en erachter komen dat het geen droom wás.

De achterdeur gaat open. Kris verschijnt. De drie V's laten hun handen zakken. Het wordt doodstil in het tuinhuisje. Is ze alleen? Is ze ...

Dan verschijnt er een wonderlijke gedaante achter haar. Een man in een dikke winterjas, een zonnebril op, capuchon over zijn pikzwarte krullen.

Ze herkennen deze onbekende direct aan zijn vermomming. Als ze niet zo onder de indruk waren geweest, hadden ze het uitgeschreeuwd. Jay Dean loopt achter Kris aan naar het tuinhuis. Hij heeft zijn Gibson-gitaarkoffer bij zich.

Als Kris en Jay binnen zijn, duurt het even voordat Jay zich helemaal heeft uitgepakt. De pruik gaat als laatste af.

'Zo,' zegt hij dan, terwijl hij keurend rondkijkt. 'Dus hier repeteert de wereldberoemde band V3&K.'

'Wereldberoemd bij buurman Brandsen,' zegt Vibo. Hij

zwijgt bescheiden over hun optreden op het buurtfeest van een poosje terug.

Jay pakt zijn gitaar uit en plugt hem – zonder iets te vragen! - in op Vibo's versterker. 'Wat waren jullie aan het spelen?'

'Movin' On,' zegt Via. 'Ken je dat?'

De anderen zuchten héél diep.

Een tel later giert Jay Deans openingssolo door het tuinhuisje. Het klinkt zó geweldig, dat V3 en K vergeten in te zetten en mee te spelen. Kris luistert met open mond.

Dit is beter dan een soloConcert in de HMH. Dit is geweldig!

Als Jay Dean klaar is, heeft hij een enorme glimlach op zijn gezicht. Je kunt zien dat hij geniet van het spelen en dat hij het gemist heeft.

'Helios!' roepen V3 en K.

'Helios?'

'Herrie en lawaai is ons sterven,' legt Vibo uit.

'Waarom speelden jullie dan niet mee?' vraagt Jay.

'Durfden we niet,' zegt Vio eerlijk.

'Onzin,' zegt Jay. 'Hé, hoor es? Kan ik dit hok gebruiken om te spelen? Het is voor een tijdje. Tot eh … nou ja, tijdelijk dus. Hier val ik niemand lastig.'

Via vraagt zich af waarom Jay zijn zin niet afmaakte. Tot …? Tot wat?

'Tuurlijk,' zeggen Vio en Kris, alsof het tuinhuisje van hén is.

Vibo is te verbijsterd om 'tuurlijk' te zeggen. De gedachte dat de enige echte Jay Dean in zíjn tuinhuisje repeteert … wauw. Wat zonde dat hij het aan niemand mag vertellen! 'Heeft Bulk Bertram je in een wurggreep?' vraagt hij dan. Het klinkt alsof hij weet waar hij het over heeft.

Jay lijkt te twijfelen of hij moet antwoorden. 'Goed,' zegt hij dan. 'Ik kan jullie geloof ik **wel vertrouwen**. Ik was vroeger net als jullie: mijn droom was popster worden.'

'Tof,' zegt Via. 'Het gaat je vast lukken. Ja, wát nou!' zegt hij, als de anderen diep zuchten.

'Dan ga ik nóg beter mijn best doen,' zegt Jay Dean met een grijns. 'Hoe dan ook, ik kwam terecht bij het bedrijf Happy Star. Daar tekende ik een contract. Mijn ouders moesten het óók ondertekenen, want ik was nog maar een kind.'

'Nog maar een kind, nog maar een kind ...' moppert Via. 'Er is niks mis met kinderen, hoor.'

'Nee,' zegt Jay. 'Maar pas na je achttiende is je handtekening echt geldig. Goed. Wij wisten helemaal niet wat we ondertekenden. En Happy Star deed helemaal niets om me te helpen. Na een poosje ging het bedrijf zelfs failliet. Het verdween. Ik gaf mijn droom natuurlijk niet op. Ik werkte keihard om de beste te worden. En het lukte. Ik kreeg optredens, ik kreeg een platencontract en ik kreeg ...' Hij zucht even diep. 'Ik kreeg een poosje geleden een brief van Bulk Bertram. De oude baas van Happy Star. Er zat een kopie van mijn contract van lang geleden in. En wat had hij met een markeerstift geel gemaakt?'

V3 en K schudden ademloos hun hoofd. Ze weten het niet.

'De regel waarin staat dat ik alleen met toestemming van *Happy* Star mag optreden of platen mag maken. Op elke overtreding staat een boete van honderd procent!'

'Wauw,' verzucht Via.

Maar Vio vraagt: 'Honderd procent waarvan?'

'Van alles wat ik verdien!' zegt Jay treurig. 'Bulk Bertram krijgt alles.'

'Alles?' vraagt Kris.

'Honderd procent is alles,' zegt Jay.

'Dus daarom ging je concert in de HMH niet door!' zegt Vibo.

Jay knikt. 'Ik gunde hem het geld niet. Iedereen die een kaartje heeft gekocht, kan het inleveren en krijgt zijn geld terug. Dat zal **Bulk** leren.'

'Maar …' zegt Vio nadenkend. 'Waarom stap je niet gewoon naar de krant? Je vertelt het hele verhaal en zo ontmasker je Bertram als een vuile eh … wurgcontracter.'

Jay glimlacht wrang. 'Dat mag niet zonder toestemming van Bertram. Boete: *duizend* euro per woord in het krantenartikel. Alles wat ik de laatste jaren verdiend heb, gaat naar de portemonnee van Bulk Bertram. En mijn plan kan ik dus vergeten.'

'Plan? Welk plan?' vraagt Via.

'Een plan voor een eigen studio. Ik had al een ruimte gevonden. Samen met de jongens van de band zouden we die gaan verbouwen. Geluiddicht maken, goede apparatuur erin. En dan zelf liedjes opnemen … Maar als Bulk dat ontdekt, pikt ie ook die plek in …'

'Oneerlijk!' zegt Vibo.

Via wil iets doms zeggen, maar dat doet hij niet. Er schiet hem iets te binnen. Over geluiddicht en steenwol.

'Die ruimte is toch niet op het bedrijventerrein hier een stukje verderop?' vraagt hij.

Jay kijkt hem aan met een blik die zegt: 'Hoe weet jij dat nou?'

Ik heb gelijk, denkt Via. En dan wéét hij dat hij gelijk heeft, want hij heeft iemand met een zwartepietenpruik zien lopen bij de loods op het bedrijventerrein. 'Ik heb je gezien,' zegt

hij. 'We hebben je **allemaal** gezien. Je liep er nogal verdacht bij met die malle pruik van je.'

Jays gezicht is één en al verbazing. 'Jullie,' zegt hij, 'jullie zijn het ***bijzonderste bandje*** dat ik ooit ben tegengekomen.'

'V3&K, onthoud die naam,' zegt Via trots.

'En nu gaan we naar opa,' zegt Kris vastberaden.

'Je opa? Wat heeft die ermee te maken?'

Kris grijnst breed. 'Wacht maar af.'

15. EEN REDDINGSPLAN

Ze zitten aan opa Aads eettafel en kijken aandachtig naar het scherm van de laptop. Opa Aad beweegt de muis en zoomt in op de luchtfoto van de wijk.

'Dit is dus Bertrams kantoor ...'

V3&K knikken. Van bovenaf zien huizen er heel anders uit dan wanneer je ervoor staat, maar ze herkennen het enorme gebouw dat er bijna tegenaan gebouwd staat.

'De opslagloods van een groot aannemersbedrijf,' zegt opa Aad. 'Bijgenaamd de Bunker, omdat het zo'n enorm steenblok is. Bertrams kantoor heeft een alarm. Piet heeft dat ontdekt toen hij Bertram in de gaten hield. Nou is een alarm **geen probleem**. Dat hebben we zó uitgeschakeld.'

Via kijkt de anderen aan. Hij heeft het idee dat hij in een rare droom terecht is gekomen. Daarnet hebben ze alles op een rijtje gezet. Ze hebben besloten dat Bulk Bertram zijn wurgcontracten in zijn brandkast bewaart. Het is de meest logische plek. En hoe krijgen ze die contracten úit de brandkast?

'Een *snelle* inbraak,' had opa Aad gezegd.

En nu zitten ze dus een inbraak voor te bereiden.

'We gaan via het dak van die eh ... Bunker!' zegt Via. 'Ik kan gewoon abseilen naar het dak van Bertrams kantoor. Afgelopen vakantie heb ik met mijn vader nog een paar steile wanden beklommen.'

Opa Aad knikt. 'Ik weet dat je een goede alpinist bent,' zegt hij, 'maar voor nu is het even **niet zo handig**.'

'Waarom niet?' vraagt Via. 'Ik heb thuis meters en meters lijn liggen, en haken en pennen en …'

'En hoe wou je op het dak van de Bunker komen?' vraagt opa Aad.

Via heeft niet zo snel een antwoord.

'En als je op het dak van Bertrams kantoor staat, hoe kom je dan binnen?'

'Ik weet het!' zegt Via. 'We breken in de Bunker in, ik ga naar het dak, seil ab en maak met een snijbrander een gat in het dak van Bulks kantoor. Dan klim ik naar binnen en doe de deur voor jullie open!' Hij kijkt de anderen tevreden aan. Deze oplossing heeft hij toch maar mooi zelf bedacht.

'Mooi plan,' zegt opa Aad. 'En lekker ingewikkeld. Snijbranders …' Hij schudt zijn hoofd. 'We slaan het hele eerste stuk over en breken meteen bij Bertram in. Veel makkelijker.'

Via zucht. Kon hij 'ns fijn van een gebouw af klimmen …

'Er zijn nog wel wat haken en ogen,' zegt opa Aad. 'En Bulk Bertram is de grootste haak. Piet heeft hem een beetje in de gaten gehouden. Dat meisje is er niet altijd, maar Bertram zit zowat dag en nacht in dat kantoor. We moeten er zeker van zijn dat hij uit de buurt is en uit de buurt blíjft.'

'Een list!' zegt Kris. 'We lokken hem weg met een list.'

'Ik weet wat!' zegt Via. 'We vragen of hij naar ons komt luisteren. Terwijl hij op ons wacht in het tuinhuisje, breken wij snel even in.'

'Het stukje over het weglokken lijkt me goed,' zegt opa Aad. 'De rest is te RISKANT.'

Via zucht. Het is ook nóóit goed.

'Moeten we kluiskraker Rikko vragen?' zegt Vibo. 'Dan is die

brandkast zó open.'

Opa Aad kijkt twijfelend. 'Rikko is niet betrouwbaar meer, sinds hij uit de gevangenis is. Nee, ik denk dat jullie het zelf moeten doen. Beschrijf die brandkast eens?'

V3 en K geven zo goed ze kunnen een omschrijving van de brandkast in Bulks kantoor. Alles komt voorbij: de kleur, hoe groot hij is, wat voor sleutelgaten erin zitten, hoe de hendel eruitziet en …

'Hij gebruikte maar één sleutel toen hij de kluis openmaakte,' zegt Kris. 'Dat viel me op. Ik dacht: gek, waar is dat tweede sleutelgat voor?'

Opa Aad kijkt haar bewonderend aan. Net als Vibo trouwens, ziet Via.

'Heel goed. De tweede sleutel is een afleidingsmanoeuvre. Maar ik ken dat soort brandkasten. Ik heb er de sleutels voor. Dus dat komt in orde. Nu nog een manier vinden om Bulk Bertram weg te lokken.'

'Jay,' zegt Vio. Het is het eerste wat hij deze middag bij opa Aad gezegd heeft.

'Jay?' herhalen de anderen bijna in koor.

Vio knikt.

Misschien moet ik ook vaker niets zeggen, denkt Via. Dan wordt er tenminste naar me geluisterd.

'Bertram zoekt Jay,' zegt Vio. 'En wij hebben hem gevonden. Dat gaan we hem vertellen.'

'Vuile verrader!' roep Via. 'We hadden beloofd dat we …'

'Ssst,' zeggen de anderen in koor.

'Leg je plan eens uit?' zegt opa Aad.

'We moeten een paar dingetjes regelen,' zegt Vio. 'En misschien hebben we de hulp van Dobry nodig. In een studio

86

kun je liedjes afspelen. En daar lokken we Bulk mee, met de muziek van Jay Dean ...'
Even later ligt er een lijstje:

- Dobry inschakelen
- Alarm uitschakelen
- Inbreken
- Kluis kraken

V3 en K staan voor het kantoor van Bulk Bertram. Ze kijken al een minuut of wat naar het raam met de foto's. Moed verzamelen is best een klusje. Ze hebben de taken verdeeld, ze weten wat ze doen moeten, maar toch ...
De drie V's kijken elkaar aan. Kris kijkt de drie V's aan en dan kijken ze allemaal weer naar het raam.
'We moeten,' zegt Vibo dan. 'Dobry blijft niet de hele middag wachten.'
'Opa en agent Piet ook niet,' zegt Kris. En zoals vaker gebeurt, neemt zij de leiding. Meestal vinden de V's dat vervelend. Nu zijn ze wel blij.
Kris loopt naar de deur en belt aan. Na een paar tellen klinkt Bulk Bertrams stem door het speakertje.
'Ja?'
'Meneer Bertram, we hebben Jay Dean gevonden.'
'WAT?' het speakertje valt bijna van de deurpost af.
Er klinkt gestommel en gebrom en dan is de speaker stil. Het volgende moment gaat de voordeur open.
Bulk Bertram staat met blauwe ogen vol ongeloof op de drempel. 'Jullie!' Zijn ogen lijken vol te lopen met tranen.

'Een kindergrapje zeker? Leuk hoor! Jullie moeten maar gauw met jullie ondertekende contract komen. Dan kan ik jullie ...'

Wurgen, denkt Via. Het lukt hem zijn mond te houden, wat hij erg knap vindt, maar de anderen merken er niets van.

'Nee, we weten écht waar hij is, meneer Bertram!' zegt Vibo. 'We hebben hem zien spelen!'

'Spelen? Dat mag hij helemaal ...' Weer maakt Bulk zijn zin niet af. 'Waar hebben jullie hem gevonden?'

'Komt u maar mee!' zegt Kris. 'Wij weten de weg.'

Vijf minuten later gaat er een rare stoet door de straten: vier kinderen die zich de benen uit hun lijf fietsen en een snelle, *chique* auto die er heel langzaam achteraan rijdt.

16. V3&K BREEKT IN

Bij de ingang van het bedrijventerrein stappen V3 en K van hun fietsen. Ze zetten ze tegen de buitenkant van het hek. Ze gebaren dat Bertram een stukje verder kan rijden.

Als Bulk zijn auto geparkeerd heeft naast een losgekoppelde aanhanger, kijkt hij V3 en K droevig aan. 'Wat een akelige plek voor mijn bloeiende plantje,' zegt hij. 'Hier zal hij toch geen wortelschieten? Geen wonder dat niemand hem kon vinden in deze steenwoestijn.'

'Daar is het,' zegt Kris. Ze wijst naar de loods in de verte. Alsof Jay Dean op een teken heeft gewacht, komt er opeens gitaarmuziek uit de loods. Ze herkennen Jays grote hit 'Movin' On'. Het nummer klinkt geweldig. Bijna alsof het een cd'tje is, in plaats van live gespeeld.

Bulk Bertram heeft daar geen oor voor. Hij kijkt de kinderen verbijsterd aan. 'Dat moet ik zien!'

Dan zet hij het op een hollen. Geschrokken trekken V3 en K ook een sprintje. Bertram mag niet te snel bij de loods zijn, want als hij tijd krijgt om binnen aan het donker te wennen ...

Gelukkig hebben ze een betere conditie dan hij. Ze halen hem in en zijn zelfs als eersten bij de deur van de loods. De muziek klinkt hier keihard. En wie goed luistert, hoort meteen dat dit geen live spel is.

Bulk Bertram heeft de tijd niet om goed te luisteren. Hij kijkt met zijn grote, onschuldige ogen naar de deur die op een kier staat en grabbelt in zijn colbertzakje. 'Een foto,' zegt hij. 'De pers zal een foto willen!'

Kris is achter hem gaan staan. Ze vist een sleutelring uit haar

broek en knikt naar de drie V's.

Vibo loopt naar de deur.

Vio legt zijn hand op Bulks arm en leidt hem naar de deuropening.

Via steekt voor de zekerheid zijn armen uit om Bulk *een* **du**W*tje* te geven, als het nodig is.

Het is niet nodig.

'Jay! Mijn arme ster! Mijn geldboompje! Waarom heb je me verlaten!' zegt Bulk Bertram. Hij loopt naar binnen.

Het volgende moment duwt Vibo de deur dicht.

Kris steekt de sleutel in het slot en draait hem om.

Het is nu doodstil op het bedrijventerrein. Binnen dendert de cd van Jay Dean uit een grote versterker, maar dat hoor je buiten niet, nu de deur dicht is. De loods is prima geluidsdicht gemaakt. Al zou Bertram een pistool op de deur afvuren, dan nog zou niemand het merken.

'Die zit voorlopig vast,' zegt Vibo.

'En nou als de wiedeweerga weg!' zegt Vio. 'Stel je voor dat hij per ongeluk verbinding krijgt op zijn mobiel.'

'Dan kan niemand verstaan wat hij zegt,' zegt Via grinnikend.

Toch spurten ze naar hun fietsen en racen terug naar Bertrams kantoor.

Een oude meneer in een rolstoel wordt door een man met een poedeltje over de stoep geduwd. Bij het kantoor van Happy Note blijven ze staan. Ze kijken geïnteresseerd naar de foto's op het raam. Of kijken ze naar iets anders?

V3 en K komen in volle vaart, met rode hoofden, de straat in. Ze springen van hun fietsen en smijten die tegen een boom. Dan hollen ze heel onopvallend naar de twee oude meneren.

'Het is gelukt!' zegt Kris, die het eerst bij opa Aad is. 'Bulk is opgesloten. En Dobry belt straks de politie en zegt dat hij een inbreker heeft betrapt en opgesloten.'

Opa Aad knikt tevreden.

'En de voordeur?' vraagt Kris.

'Fluitje van een cent,' zegt opa. Hij vist een sleutel uit zijn binnenzak. 'Deze is van het alarm. Ik doe de deur open. Jij hebt dan een minuut om deze sleutel in het slot van het alarmkastje te stoppen. Piet en ik gaan dan meteen verder, want ik val te veel op, met mijn rolstoel.'

'En een oud-agent die betrokken is bij een **inbraak** ...' vult Piet aan.

'Heb je de kluissleutel?' vraagt opa.

Kris knikt. 'Bovenste sleutelgat,' zegt ze.

Opa Aad knikt. 'Goed dan. Een, twee, drie ...' Hij buigt zich voorover, steekt een sleutel in de voordeur en maakt hem open.

Kris glipt naar binnen. Het kleine halletje is leeg. Waar zit het alarmkastje? Ze voelt bij iedere hartslag een seconde verstrijken. Waar is het kastje?

Dan ziet ze een kastdeur in de muur. De meterkast! Natuurlijk! Ze trekt de deur open. Boven de elektrameter ziet ze een metalen kastje. Een groen ledje gaat aan en uit. Is elk knippertje een seconde? Hoeveel tijd is er nog? Kris ziet dat haar handen trillen. Ze zijn een beetje plakkerig van het zweet.

Ze steekt het sleuteltje in het slotje. Het past niet! Aan en uit gaat het ledje. Aan en uit.

Kris draait het sleuteltje om. Bijna valt het uit haar vingers.

Nu past het sleuteltje wel, maar het wil niet draaien.

Aan, *uit,* gaat het ledje.

Rechtsom draaien? Linksom?

Links gaat niet. Dus: rechts. Kris draait. Er klinkt een klik.

Het ledje *dooft.*

Met bonkend hart en bloed dat door haar hoofd zoeft, doet Kris een stap achteruit. Ze slaat de kastdeur dicht en draait zich om naar opa Aad. Die is er niet meer.

De drie V's kijken haar ongeduldig aan.

'Dat duurde lang!' zegt Vio beschuldigend. 'Je bent vijfentwintig seconden bezig geweest!'

'Zo kort?' zegt Kris **opgelucht**. 'Oké, kom op!'

Ze gaan het kantoortje binnen waar het hippe meisje Wendy haar bureau heeft.

Ze lopen om het bureau heen naar de deur van Bertrams kantoor. Het is gek, ze weten dat Bulk opgesloten zit in de loods op het bedrijventerrein en toch ... Toch zijn ze opgelucht dat Bertram niet op zijn bureaustoel zit.

Er is geen tijd voor twijfel. Ze moeten snel handelen.

Kris loopt naar de groene kluis. Ze haalt een sleutel tevoorschijn en knielt. En dan weet ze het niet meer. Was het nou het bovenste sleutelgat of het onderste?

Vibo ziet blijkbaar ook dat ze aarzelt. 'Het bovenste!' zegt hij.

'Of toch het onderste?' vraagt Via. 'Misschien wel allebei!'

'Hoe kan dat nou!' zeggen Vio en Vibo in koor.

'Nou, eerst de ene en daarna de andere. Dát is toch zo gek niet?'

De anderen moeten toegeven dat Via toevallig misschien wel gelijk zou kunnen hebben. Maar Kris schudt haar hoofd. Het ene sleutelgat was alleen maar voor de show, had opa Aad

gezegd. Het was het bovenste.

Ze steekt de sleutel in het bovenste slot. Ze draait. De sleutel gaat naar rechts, er klikt iets. Daarna draait ze nog een keer en er klikt wéér iets en daarna nog iets. Dan wil de sleutel niet verder.

De drie V's hebben met ingehOuden adem toegekeken.

'En nu?' vraagt Vio.

'De hendel,' zegt Kris. Ze pakt hem met twee handen beet en zet kracht. 'Er is geen beweging in te krijgen.'

'Dan toch maar het onderste sleutelgat?' stelt Vio voor.

Kris knikt en steekt de sleutel in het onderste gat. 'Past niet,' zegt ze. Ze rukt nog eens aan de hendel. Dan kijkt ze naar de jongens. 'Pfft! Ik heb hulp nodig. We proberen …'

'We proberen helemaal niks!' zegt een stem achter hen.

17. VERRASSENDE WENDY-WENDING

V3 en K verstijven. Ze zijn betrapt. Op heterdaad! Achter hen staat ... Ja, wie eigenlijk?

Inspecteur Brandsen heeft geen vrouwenstem, denkt Via. En Bulk Bertram ook niet. Wie staat daar dan?

Alsof ze het hebben afgesproken, keren V3 en K zich tegelijk om.

Op de drempel van het kantoor staat Wendy, het hippe meisje. Ze kijkt hen met een strak mondje aan. Haar ogen schitteren.

'Je kunt proberen wat je wilt, maar het helpt niet.'

'We eh ...' zegt Vibo. Hij trilt van schrik.

'We wilden iets opbergen in de kluis,' zegt Vio. 'Ons contract. Dan ligt het maar vast veilig.'

Het klinkt bezopen en dat is het ook.

'Ik heb het al heel vaak geprobeerd. Met één sleutel gaat het niet. Bulk zet de kluis als hij weggaat altijd op het nachtslot, zeg maar. Daar is het tweede sleutelgat voor.'

V3 en K kijken Wendy met open mond aan. Opa Aad heeft zich dus vergist. Er zijn wél twee sleutels nodig. En heeft zíj ... Wendy ... proberen te stelen van haar baas? Wat erg! Arme Bulk, met zijn droeve blauwe ogen.

Via geeft zichzelf in gedachten een tik. Bulk is niet zielig. Hij is een vuile wurger met contracten!

'Waarom wilde je de kluis dan openmaken?' vraagt Kris.

'Wat denk je?' zegt Wendy. 'Ik wilde zangeres worden en gaf

me op bij Bulk. Ik werk hier omdat er een wurgcontract van mij in de kluis ligt. Bertram is zo'n beetje mijn eigenaar. Hoe hebben jullie trouwens zijn sleutel gevonden?'

V3 en K geven niet meteen antwoord. Ze zijn verbijsterd over Wendy's verhaal. Zij óók al!

'Dit eh …' zegt Kris dan, 'is niet Bertrams sleutel. Dit is een andere.'

'Wat?' zegt Wendy. Haar stem schiet omhoog als een vuurpijl. 'Dan hebben we dus **twéé** sleutels!'

Ze zet een paar stappen, knielt bij Bulks bureau en rommelt wat. Dan komt ze met een rood hoofd overeind. 'Hebbes!'

Ze laat een sleutel zien die erg lijkt op het exemplaar dat Kris heeft gebruikt. Ze loopt naar de kluis en knielt naast Kris.

'Met twee sleutels **lukt het wel**,' zegt ze.

En ze heeft gelijk. Ze kan de sleutel drie slagen draaien.

'En nu …' zegt Via. Hij maakt een drumroffel op het bureau. 'Sesam open u!'

Kris en Wendy pakken tegelijk de hendel en trekken eraan. Met een metaalachtige klik schiet de deur van de brandkast open.

Wendy en V3 en K kijken elkaar aan. Vijf bijzonder blije gezichten.

Dan kijken ze in de brandkast. Die ligt helemaal vol met papier. Hoe vinden ze Jay Deans wurgcontract tussen deze enorme berg papieren?

Gelukkig hebben ze Wendy. 'Laat mij maar.' Ze duwt Kris opzij en trekt een verschoten blauwe map tussen het papier vandaan.

In keurige letters staat erop: geldboompjes.

Wendy slaat de map open. 'Dit is het contract van Jay.' Ze

haalt het bovenste contract weg. 'En dit … Dit is het mijne. We hebben beet! Jay en ik zijn vrij!'

Ze komt overeind en zegt: 'Als de wiedeweerga *wegwezen*. Brandkast dicht, alarm aanzetten en dan lijkt het of er niets gebeurd is. Hoe zijn jullie trouwens langs het alarm gekomen? Nou ja, geeft niet.' Ze duwt de brandkastdeur dicht.

V3 en K zijn blij dat ze geen antwoord op haar vraag hoeft te hebben.

'Kom mee, Bulk kan er ieder moment aankomen.'

'Hm,' zegt Vio, 'die kans is klein.'

Toch volgen ze haar goede raad op. Je weet maar nooit …

Als ze buiten staan, zegt Wendy: 'Ik ga Jay het goede nieuws vertellen. En jullie moeten me nog maar een keer uitleggen hoe het verhaal in elkaar zit …' Ze barst opeens in tranen uit. 'Jongens, ik ben zo blij! Ik kan jullie wel zoenen! Jay en ik …'

'Jay en jij?' vraagt Kris.

'Jay is mijn vriendje,' zegt Wendy.

V3 en K kijken haar met open mond aan.

'Aaaa!' roept Via dan. 'Dáárom was je bij ons in de straat. Je maakte helemaal geen wandelingetje door de buurt! Je ging bij Jay op bezoek!'

Wendy knikt. 'Ja. En toen stonden jullie daar. Ik moest razendsnel een smoes verzinnen.'

'En om niks te verraden, ben je doorgelopen,' zegt Kris. Wendy knikt.

'Nou, Jay zit nu niet in dat studentenhuis. Hij is in het tuinhuisje waar wij altijd repeteren.'

Ze fietsen zo snel ze kunnen naar huis. Echt snel is dat niet, want Wendy zit bij Vio achterop en ze is zwaarder dan je zou denken.

Slingerend komt Vio als laatste de straat in. Ze gooien hun fietsen voor Vibo's huis tegen de heg en hollen de gang door, naar de achterdeur.

De eerste die ze zien als ze de tuin in komen, is buurman Brandsen. Hij staat over de heg geleund. Zijn kat zit naast hem. Ze luisteren.

Uit het tuinhuisje komt prachtige gitaarmuziek.

Als buurman Brandsen V3 en K ziet, kijkt hij eerst verbaasd en daarna trekt hij een gezicht dat zegt: Nou snap ik het! 'Dit zijn jullie niet!' roept hij. 'Ik dacht al, het is onmogelijk. Er zit iemand anders te spelen in dat tuinhuisje. Ik wou dat jullie een halve procent van dat talent hadden. Wie zit daar binnen te spelen?'

'O, niemand,' zegt Vibo. 'Dat is een cd'tje van Jay Dean.'

Er klinkt een ringtone. Buurman Brandsen kijkt opzij, tast in de binnenzak van zijn gekreukte colbert en haalt een telefoon tevoorschijn.

'Ja?'

Hij luistert een poosje. Als hij zijn toestel wegbergt, zegt hij: 'Jullie, jullie met zijn vieren deugen niet! Als er in de buurt iets aan de hand is, hebben júllie er altijd mee te maken.'

'Wat nou weer!' zegt Via. 'We staan hier alleen maar!'

'En jullie Poolse klusser, die Dobry, heeft een inbreker ontdekt in een loods op het bedrijventerreintje. Ik weet niet waarom, maar volgens mij zitten jullie daarachter!'

Hij verdwijnt uit het zicht. Zijn keukendeur gaat open en dicht en dan is hij weg.

Wendy en V3 en K hollen naar het tuinhuisje om Jay Dean het GOEDE NIEUWS te vertellen.

Jay zit met zijn ogen dicht te spelen. Als hij hen binnen hoort komen, doet hij zijn ogen open. De verbazing op zijn gezicht is een foto waard.

'Wendy? Hoe ... hè? Hoe kom jij ...'

Wendy holt naar hem toe en omhelst hem. Dan trekt ze de map uit haar tas.

'We zijn vrij!' zegt ze. 'Dankzij hen.' Ze wijst naar V3 en K, die een beetje verlegen toekijken.

'We hebben de contracten! Bulk Bertram kan ons niets meer doen.'

Tien minuten later is Jay Dean ervan overtuigd dat het klopt: Hij heeft het contract terug. Hij is vrij.

18. HET GEHEIM VAN OPA AAD

De loods die Jay en zijn makkers hebben verbouwd, ziet er prachtig uit nu hij vol instrumenten staat.

V3 en K kunnen niet wachten om te horen hoe ze hier klinken.

'En een, twee, drie, vier!' Via telt af met tikken op zijn snaredrum.

Dan zet **V3&K** in: 'Movin' on', de hit van Jay Dean. Jay zelf doet nog even niks. Hij laat Vibo de gitaarstem spelen. Pas als het tijd is voor de solo, zet hij zijn volumeknop op acht en gaat los.

Het klinkt **geweldig**. Ze horen het allemaal: nog nooit heeft **V3&K** zo goed geklonken. Kris en Wendy, die samen zingen, zijn een geweldige combinatie. En in deze oefenruimte klinkt het allemaal nóg veel beter dan in het tuinhuis.

Als het nummer afgelopen is, applaudisseren opa Aad, agent Piet en Dobry zo hard ze kunnen.

'Geweldig jongens,' zegt Jay Dean.

Opa Aad haalt een knipsel uit zijn jaszak. 'Moeten jullie horen, jongens. Dit stond vanochtend in de krant:

De politie heeft na jaren eindelijk de bekende oplichter Bulk B. weten te arresteren. B., die bekend staat als afperser van jonge kinderen die de showbusiness in wilden, werd betrapt bij een inbraak op een bedrijventerrein in Noord.

Jay Dean, de bekende gitarist die óók door B. werd afgeperst, is nog steeds onvindbaar. Inspecteur Brandsen

leidt het onderzoek. Hij denkt dat B. achter de verdwijning zit.'

'En Jay Dean blijft nog even onvindbaar,' zegt Jay tevreden. 'Ik kom pas weer tevoorschijn als we onze nieuwe liedjes af hebben.'

Via heeft geen interesse in het gesprek. Hij zit achter een apparaat dat hij daarnet ontdekt heeft: een drummachine. Dit is het apparaat dat hij voor thuis wil hebben. Dit is er niet eentje van vijftig euro: deze drummachine is veel duurder en véél beter. Het is een soort tablet met, in plaats van een touchscreen, vijf rubberen doppen: de trommels. Als je erop slaat, klinken ze als een drumstel.

Er zit een snoertje aan het apparaat. Het gaat naar een van de grote versterkers en via de versterker naar een enorme luidsprekerbox.

Wauw, denkt Via. Als ik deze had, zouden ze thuis nooit meer klagen dat ik te veel herrie maak.

Hij loopt naar een ander drumstel midden in de oefenruimte. Dit is zo te zien het drumstel dat bij Jay Deans optredens wordt gebruikt. Zou het anders klinken dan mijn setje, denkt hij. Zou het véél harder klinken?

Hij pakt twee drumstokjes. In gedachten telt hij af van één naar vier. Dan begint hij een roffel.

Het klinkt alsof er bommen ontploffen, alsof er machinepistolen afgaan. Het is oorverdovend, het is harder dan hard.

Via kijkt verbaasd naar zijn handen. Deed ik dit, denkt hij. Kan ik echt zo hard? Wauw! Dit **is nog eens Helios**. Hij wil nog een roffel geven, maar dat komt er niet van. Er gebeurt iets ongelooflijks.

Opa Aad is zich kapot geschrokken. Hij springt op uit zijn rolstoel en duikt weg achter agent Piet. Daarna trekt hij een sprint naar de deur.

Wat?

Wacht even!

Opa Aad springt op uit zijn rolstoel?

Hij duikt weg en trekt een sprint?

Opa Aad duikt weg en …?

Ik ben een wonderdrummer, denkt Via. Ik ben geweldig! Ik kan mensen genezen met een roffel!

De anderen kijken opa Aad sprakeloos na.

Opa Aad blijft met de deurklink in zijn hand staan en draait zich om.

'Nou ja,' zegt hij verontschuldigend. 'Goed, ik heb niemand verteld dat ik weer genezen ben. Tenminste … bijna genezen. Mag ik óók een geheim*pje* hebben?'

Bies van Ede woont in
een straat die verdacht veel
lijkt op de straat waar V3 en K
wonen. Een tuinhuisje heeft hij niet.
Met zijn bandje oefent hij op een
bedrijventerrein dat helemaal niet
lijkt op het terrein waar Dobry zijn
klusbedrijf heeft. Als je wilt weten wat
voor muziek Bies maakt, moet je maar
eens op YouTube of biesvanede.nl kijken.

Dat Juliette de Wit nog tijd
heeft om basgitaar te spelen en
te zingen in twee bandjes, is een
wonder, want ze tekent zich suf.
Het ene na het andere boek ... Dat
schrijvers haar tekeningen graag
willen, snap je na het lezen van dit
boek zelf ook wel: Ze zijn hartstikke tof.

Wil je meer lezen over V3&K? Dat kan!
Er zijn nog twee boeken met de avonturen
van de band en als het aan Bies van Ede
ligt, komen er veel meer. Hou de Facebook-pagina van
V3&K of de site biesvanede.nl in de gaten. Dan weet je
de nieuwste nieuwtjes als eerste.

BOEKBESPREKING HOUDEN? HIER ZIJN EEN PAAR TIPS:

1. Dit is het derde boek uit de V3&K-serie. Leen de andere twee boeken uit de bieb en laat ze zien.
2. Jay Dean is de held van **V3&K**. Jij hebt vast ook een held. Neem een foto van hem of haar mee, of beter nog: laat een stukje van je lievelingsnummer horen.
3. Speel je zelf gitaar? Neem hem mee en leg de klas uit wat een akkoord is. Speel je niets? Laat dan op het digibord een YouTube-filmpje zien waarin het wordt uitgelegd.
4. Bij liveoptredens klinken artiesten vaak heel anders dan op opnames die in een studio zijn gemaakt. Laat een stukje van een live-uitvoering horen en daarna de studio-uitvoering van hetzelfde nummer.
5. Lees een stuk voor uit **Popster vermist.** Een bladzijde waarop veel gepraat wordt, is leuk om met verschillende stemmetjes voor te lezen.
6. Scan een paar tekeningen van Juliette en laat ze op het digibord zien.

Hoe enthousiaster jij bent, hoe leuker je boekenbeurt wordt. En hoe beter je cijfer ... Maak er dus een hoop heisa van, want saaie boekbesprekingen zijn zo sááí ...

Lees ook:

V3&K mag het muziekfestival in het Zaanenbos backstage meemaken. Spannend en leuk: de optredende muzikanten ontmoeten! Vio verheugt zich op de band de Camera's. Hun bassist Luca speelt op een onbetaalbare *DiAvolo*-basgitaar.

Tijdens het festival slaat een dief zijn slag: de gitaar van Luca wordt gestolen. Natuurlijk bemoeien V3 en K zich ermee, maar de zaak is veel ingewikkelder dan hij lijkt. En als ze er eindelijk achter komen hoe het zit, is het zó simpel, dat ze het zelf niet geloven!

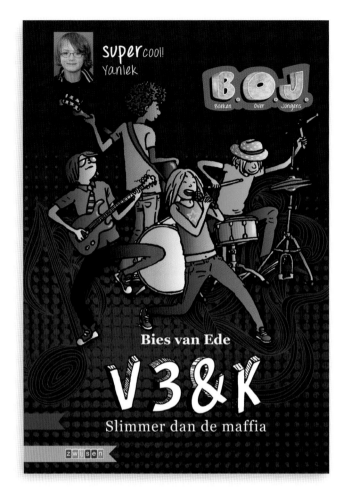

De band V3 repeteert dagelijks in het oude tuinhuisje. Binnenkort gaan de jongens **knallen** bij het buurtfeest! Maar dan zien ze dat er wordt ingebroken bij de buren. de inbreker is... een meisje. Daar moeten ze meer van weten.

Zo ontmoeten ze Kris(ta), een stoere meid en ook een goede zangeres.

Waarom wilde Kris inbreken bij het buurhuis? Wat doen die vreemde busjes steeds in de straat ? De keurige straat wordt steeds minder keurig. **De maffia** lijkt er binnengedrongen! V3 en Kris komen in actie om de straat te redden.

Lees B.O.J.

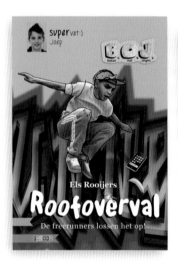